인공지능 시대 좋은수업 길라잡이

교사는 수업이 생명이고 사명이다

강신진

저　자 | 강신진

발　행 | 2024년 5월 15일
펴낸이 | 한건희
펴낸곳 | 주식회사 부크크
출판사등록 | 2014.07.15.(제2014-16호)
주　소 | 서울특별시 금천구 가산디지털1로 119
　　　　　　　　　　SK트윈타워 A동 305호

전　화 | 1670-8316
이메일 | info@bookk.co.kr

ISBN | 979-11-410-8305-2

www.bookk.co.kr

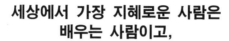

세상에서 가장 지혜로운 사람은
배우는 사람이고,

세상에서 가장 행복한 사람은
감사하며 사는 사람이다.

- 탈무드 -

차례

머리말 수업은 생명이요 사명이다   10

1장. 학교는 무엇을 가르치는가?

1. 학교는 무엇을 교육하는가?   18
2. 교사의 사명은 무엇인가?   21
3. 교사는 무엇을 가르치는가?   26
4. 교사의 삶이란 무엇인가?   33
5. 학교는 교육과 보육을 함께 한다   38
6. 수업 철학은 존재하는가?   41
7. 수업이 바뀌면 학교는 바뀐다   46
8. 교사는 교육실천가이다   48
9. 불가근이면 불가원의 일상이다   54
10. 교사의 행복은 무엇인가?   60
11. 수석교사는 무엇을 하는 교사인가?   64

2장. 좋은 수업하기 길라잡이

1. 수업은 예술이고 기술이다   76
2. 좋은 수업이란 무엇인가?   79
3. 수업의 달인 되는 방법은?   82
4. 좋은 수업은 학교를 바꾼다   85
5. 수업은 생명이요 사명이다   101
6. 좋은 수업은 Back to the Basic   106
7. 행복해지는 7가지 수업 7T이다   111
8. 미래를 위한 좋은 수업은 무엇일까?   124
9. 좋은 수업을 위한 TIP   126

3장. 수업나눔은 집단 지성이다

1. 수업 나눔은 수업을 업(up)하는 거다   129
2. 공개수업은 반면교사다   132
3. 공개수업은 정기 건강검진이다   135
4. 수업 참관록 무엇을 작성할까?   137
5. 교육실습생은 미래 교사이다   155
6. 신규교사는 열정과 사랑이다   157
7. 저 경력 교사 경험은 인생의 스승이다   160
8. 중견 교사의 수업은 색다름이다   162
9. 고경력 교사의 수업은 기다림이다   164
10. 교사에게 연수는 비타민이다   166
11. 전문적 학습공동체는 집단지성이다   169
12. 수업 참관은 관찰이다   177
13. 수업 나눔은 티칭이고 코칭이다   181

4장. 학교 수업의 미래에 대하여

1. 학교는 평생학습의 장이다   199
2. 미래 학교의 변화를 기다린다   202
3. 학교에서 행복 찾는 삶이다   207
4. 수업 컨설팅은 만능이 아니다   213
5. 학교 수업에서 행복해지기   236
6. 에듀테크가 미래 수업의 다가 아니다   246
7. Chat GPT와 인공지능(AI) 활용이다   252
8. 미래 교육은 평생학습이다   261
9. 교육은 홍익인간 양성이다   276
10. 학교는 수업이 우선이어야 한다   282

감사의 말   300

수업하는 삶은 행복이다.

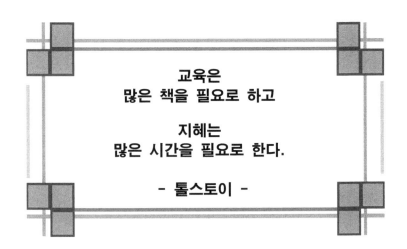

교육은
많은 책을 필요로 하고

지혜는
많은 시간을 필요로 한다.

- 톨스토이 -

들어가며

수업은 생명이고 사명이다.

교사는 수업 전문가이고, 교육 현장 실천가이다. 교사는 교과 지식과 학생 인성 교육하는 공교육 기관의 교육공무원이다. 교사는 국가의 미래 인재를 가르치는 든든한 고목이다. 교사는 평생 수업을 통해 학생을 가르친다. 따라서 교사는 '수업이 생명이고 사명'이다.

교육은 수업에서 학생 소질을 찾아주는 게임이다. 수업은 학생 사랑이고 도와주려는 마음이 제일이다. 수업에 고민이 없는 교사는 없다. 교육은 교학상장(敎學相長)이고, 수업은 역지사지(易地思之)의 마음으로 해야 즐겁다. 학교에서 교사가 행복한 세상의 주역이 되길 기대한다.

이 책은 디지털 인공지능 시대의 교육과 수업에 관한 이야기를 담고 있다. 학교 현장에서 수업 경험을 바탕으로 수업의 의미와 교육 방법에 관한 의견을 기록했다. 또한 교사의 수업 전문성과 미래 수업의 방향에 관한 내용을 안내한다. 교육을 다시 한번 돌아볼 수 있는 마음으로 학교 경험 일부분을 제시했다.

이 책은 교사가 수업에서 더 성장하고 더욱더 행복해지기를 바라며 역지사지 방법을 담았다.

첫째, 학교는 무엇을 하는 곳인가?

오늘날 학교 교육의 현황과 과제를 살펴본다. 오늘날 수업은 인격 형성보다는 지식 전달이고, 시험문제 정답을 찾는 교육이 되었다. 교사는 수업에서 행복 찾는 일이다. 교사와 학생은 상호 소통하는 게 만사형통이다. 학교는 교육과 보육을 함께 하는 장소가 되어가고 있다. 학교에서 경쟁보다 협력하면 웃음이 많고 함께 행복한 세상이다.

학교는 무엇을 하는 곳인가?
교사는 무엇을 가르치는가?
내 수업 철학은 무엇인가?

교사는 누구나 어제보다 성장하고 더욱더 발전해야 한다. 교사는 일신우일신(日新又日新)의 삶이다. 교사가 가르친다는 건 배우는 것이며, 배워 남 주는 삶이다. 오늘날 교권 침해가 증가하여 교사는 더욱 힘들지만, 수업을 평생 하는 삶이다. 교사는 평생 학습하는 선구자이다.

둘째, 수업은 예술이고 기술이다.

교육은 예술처럼 가치 있는 일이고, 수업은 기술이다. 교육은 수업을 통해 이루어진다. 교육 방법을 알고 있다고 중요한 게 아니라, 실천해야 할 능력이다. 학생과 상호작용이 수업기술이다. 수업은 수업하는 기술이 중요하다. 수업은 그냥 하는 것이지, 무슨 기술이 필요할까? 라고 생각할 수 있다. 수업엔 정석과 정성이 기술이다.

좋은 수업은 잘 가르치는 교수법을 말한다. 다양한 교수방법을 적절하게 적용하는 것이다. 행복해지는 교사들의 7가지 수업(7T)을 제시했다.

공부는 왜 하지?
교사는 무엇 하는 사람인가?
수업은 왜 하지?
수업의 정석은 무엇일까?
좋은 수업이란 무엇일까?

교사는 수업을 수없이 업(UP)하고 미래 인재를 가르치는 일을 한다. 교사는 다양한 수업 방법을 효율적으로 적용하며 가르치고 있다. 수업은 교사의 평생 업(業)이다. 교사는 존중과 존경의 대상이고, 수업은 교사의 생명이고 사명이다.

셋째, 수업 나눔은 수업을 업(UP) 하는 것이다.

수업 공개는 왜 하지?
수업 나눔은 왜 하지?
수업 나눔 어떻게 하지?

이 책에서 주제별로 제시된 소제목을 안내한다. "수업 컨설팅의 내용이다. 공개수업은 정기 건강검진이나 마찬가지다. 수업 나눔이 티칭이고 코칭이며 교학상장이다. 교육실습생은 미래 교사이다. 신규교사는 열정과 사랑이 기본이다. 저 경력 교사 경험은 인생의 스승이다. 중견 교사의 수업은 색다름이다. 고경력 교사의 수업은 기다림이고 연수는 비타민이다. 수업 나눔은 집단지성이다." 전문적 학습공동체의 적극적인 수업 나눔 활동은 집단 지성을 깨닫는 기회이다.

교사에게 전하는 수업 활동 이야기다. 수업 나눔의 방법에 관한 내용을 포함한다. 교사도 지치고 힘들 때 기대고 싶은 곳이 있다. 수업 나눔을 활성화하여 각자도생에서 집단지성이 필요한 때이다. 수업 나눔은 수업을 참관하고 수업 내용을 공유하는 방법이다. 경험을 나누면 배로 커지는 게 수업 역량이다. 수업 나눔을 통해, 수업을 수없이 업(UP)하는 방법을 제시한다.

넷째, 학교는 수업이 우선이어야 한다.

Chat GPT와 인공지능(AI), 디지털 에듀테크가 다가온다. 이를 활용하는 것만이 미래 수업의 다는 아니다. 미래를 위한 학교의 변화와 방향을 생각한다. 학교는 수업이 제일이다. 학교에서 수업에 전념하는 미래의 교사상을 소망한다.

학교는 무엇을 하는 곳인가?
미래 인재는 누가 기르는가?
미래 교육의 패러다임은 어떻게 바뀔까?
교원 양성과 승진제도 이대로 지속할 것인가?
대한민국 교육 이념은 실현되는가?

교사는 수업이 제일이다. 국가는 수업을 통해 가르치는 교사를 존중하고 인정해야 한다. 교사에게 자존감을 세워주는 일이 으뜸이다. 교사는 미래의 희망인 학생을 가르치는 숭고한 일을 한다. 학교 교사에게 학생을 가르치는 데 전념하게 하는 환경조성이 시급하다.

교사는 세상을 위한 홍익인간을 육성하고 있다. 학교는 평생 학습하는 역량을 함양하는 장이며, 미래 교육은 평생 학습자가 되어야 함을 제시한다.

    교사로서 학생들을 마음껏 가르치며 평생을 보내며 만족하고 보람찬 교직 문화가 되길 바라며 글로 전합니다.
    학생을 가르치는 선생님께 학교생활에 조금이나마 도움이 되기를 희망합니다. 교사의 수업 역량이 함양되고, 수업 전문성이 높아지고, 좋은 수업으로 행복한 학교생활 하시기 기대합니다.
    즐겁고 행복한 학교에서 학생을 가르치는 선생님께 이 책을 드립니다.

선생님이 자랑스럽습니다.
대한민국의 미래 인재 양성하는 선생님의 노고가
대한민국의 미래입니다.
교육은 희망입니다.

2024년 5월 감사의 마음을 드립니다.
강신진

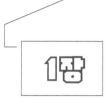

1장

학교는
무엇을 교육하는가?

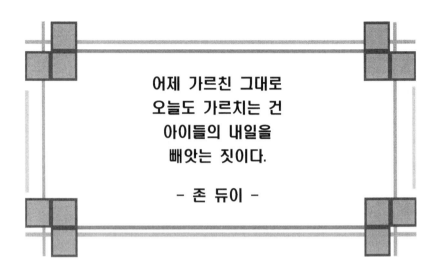

어제 가르친 그대로
오늘도 가르치는 건
아이들의 내일을
빼앗는 짓이다.

- 존 듀이 -

1장 학교는 무엇을 가르치는가?

　디지털 인공지능 시대이다. 세상이 변하면 사회도 변하고, 사회가 변하면 교육도 변해야 한다. 세상은 빠르게 변화하는데 교육 제도가 변화하지 않는다며 걱정만 한다. 교육 제도의 변화는 더디고, 교직 문화도 쉽게 바뀌지 않는다. 우리나라 교육과정은 조금씩 변하지만, 객관식 시험 보는 수학능력시험은 그대로이다. 사회의 환경이 크게 변화함에 따라 학교의 수업 환경이 조금이나마 변하고 있으니 다행이다.

　교육의 본질은 무엇인가?
　학교는 무엇을 가르치는가?
　교사의 역할은 무엇인가?
　학생은 왜 공부하는가?

　초·중·고등학교의 학교별 교사 수, 학급의 학생 수도 지역에 따라 공평하지 않다. 학교 시설과 예산, 학급 학생 수가 지역 불균형이 천차만별이다. 공정하고 공평한 공교육이 되길 기대한다. 사교육은 번창하고 있는데, 공교육의 환경은 더디고 있다.

대한민국 『교육기본법 1장

대한민국의 교육기본법 제1장 교육 목적과 교육 이념이다. 교육기본법의 우리나라 교육 이념은 홍익인간(弘益人間)이다. 홍익인간은 '널리 인간 세상을 이롭게 한다'라는 의미다.

교육기본법 제1장 총칙

제1조 (목적)
이 법은 교육에 관한 국민의 권리·의무 및 국가·지방자치단체의 책임을 정하고 교육 제도와 그 운영에 관한 기본적 사항을 규정함을 목적으로 한다.

제2조 (교육 이념)
교육은 홍익인간(弘益人間)의 이념 아래 모든 국민으로 하여금 인격을 도야(陶冶)하고 자주적 생활 능력과 민주시민으로서 필요한 자질을 갖추게 함으로써 인간다운 삶을 영위하게 하고 민주국가의 발전과 인류공영(人類共榮)의 이상을 실현하는 데에 이바지하게 함을 목적으로 한다. 1)

교육의 목적과 교육 이념이 국가·지방자치단체의 책임이 구체적으로 제시되어 있다.

---

1) 국가법령정보센터 법령 교육기본법
   https://www.law.go.kr/법령/교육기본법

교육기본법의 학교 교육 목표이다.

교육기본법에는 "학교는 공공성을 가지며, 학생의 교육 외에 학술 및 문화적 전통의 유지·발전과 주민의 평생교육을 위하여 노력하여야 한다."이다.

교육기관은 교육기본법을 준수해야 한다.

교육기본법 제9조[학교 교육]

제9조(학교 교육) ① 유아교육·초등교육·중등교육 및 고등교육을 하기 위하여 학교를 둔다.

② 학교는 공공성을 가지며, 학생의 교육 외에 학술 및 문화적 전통의 유지·발전과 주민의 평생교육을 위하여 노력하여야 한다.

③ 학교 교육은 학생의 창의력 계발 및 인성(人性) 함양을 포함한 전인적(全人的) 교육을 중시하여 이루어져야 한다.

④ 학교의 종류와 학교의 설립·경영 등 학교 교육에 관한 기본적인 사항은 따로 법률로 정한다.

학교는 무엇을 가르치는가?

    우리나라는 세계에서 교육열이 가장 높은 나라이다.

    오래전부터 입신양명을 위해, 가난을 벗어나기 위해, 공부를 열심히 했다. 지금도 부모들은 교육에 관심을 가지고 열심히 자녀 교육을 지원하고 있으며, 교육 환경이 좋다고 하는 곳은 교육열이 뜨겁다. 이유는 다양하지만 모두 미래를 위하여 최선을 다해 노력하는 것이다.

    학교는 무엇을 가르쳐야 할까?

    학생은 무엇을 배워야 할까?

    학교는 학교 교육과정에 의해 가르칠 게 정해져 있다. 그러나 일부 고등학교 현실은 수능 시험 준비에 정답을 찾는 걸 가르친다고 할 수 있다. 일부 학생들은 시험 보는 과목 외 수업에 관심을 두지 않는다. 오늘날 학교가 정답 찾기에 집중하는 모습이 안타깝다. 특히 대학입시를 앞둔 고등학교는 더더욱 그러하다. 교육은 홍익인간 양성이지만, 우리나라 학교 교육의 목표가 대학입시가 되었다. 교사의 권리와 책무성은 강조되는데, 교권은 추락하니 국가 미래가 걱정이다.

최근 고등학교도 시대의 변화에 맞추어 진로 교육을 중요시하고 있지만, 대학 진학을 위해 교육하는 경향이 많은것도 사실이다. 조금씩 시대의 변화에 적절하게 바뀌는 게 교육 제도이다. 교육 제도가 대학 입학 선발에 유리한지에 달렸다. 대학의 학과가 미래의 진로와 직업을 결정하고 보수가 결정되기 때문이다. '아니다'라고 누가 말하겠는가?

학교 현실은 어떠한가?
무엇을 가르쳐야 하나?
학생과 학부모는 교육의 목적을 알까?

오늘날 인성교육과 창의성 교육의 중요성을 강조하지만, 실상은 입시 교육이 대세다. 입시가 교육의 본질이 되어가는 형국이다. 학교에서 열심히 가르치는 선생님께 존경은커녕 존중이라도 해준다면 다행이다. 학생에게 교육과 보육을 함께 하라고 한다. 가르칠 수업 시간과 업무는 더욱 늘어나는 데 정규교사 인원을 줄이고 있다.

최근 인공지능과 자동화 기술이 발달하고 있다. 세상이 변하니 나도 변해야 한다. 미래는 예측하기도 쉽지 않다. 학교에서 자신의 꿈과 끼를 찾아 노력하고 배우면 기쁨과 즐거움이 온다. 미래 나의 전문성이 된다.

1장 학교는 무엇을 가르치는가?

공부는 미래를 위한 준비다. 학교에서는 학생 스스로 집중하는 자세, 배우려는 적극적인 참여 태도가 중요하다. 다양한 경험이 배움이다. 학교에서 자신의 잠재 능력과 창의력을 배우는 놀이터이다. 학생은 창의성과 인성을 함양하는 인재가 되길 기대한다.

톨스토이(Leo Tolstoy)도 『살아갈 날들을 위한 공부』에서 '식사를 준비하고, 집을 청소하고, 빨래하는 일상의 노동을 무시하고서는 훌륭한 삶을 살 수 없다'라고 했다. 인간이 하는 노동이 공부다. 일상 모든 게 공부라는 의미다. 두 손으로 무엇인가 힘쓸 때, 땀 흘리고 있을 때, 노력할 때 세상을 공부하게 된다. 시험공부가 다가 아니고 사회 공부, 인생 공부, 세상사를 깨닫는 게 진짜 공부다.

우리나라의 교육 이념은 홍익인간이다. 인간을 널리 세상에 이롭게 하라는 의미다. 교육의 본질은 이럴진대 현 상황은 교육의 본질과 정체성의 위기다. 위기를 극복할 답이 그리 간단치 않다.

교사의 사명은 무엇인가?

4차 산업혁명 시대이다.

OECD는 미래 사회가 요구하는 핵심역량으로 4C를 제시했다. 창의력(Creativity), 의사소통(Communication), 비판적 사고(Critical Thinking), 그리고 협업(Collaboration)능력을 말한다. 학교나 사회에서 성공하기 위해 필수적인 역량이다.

이젠 서로 존중하고 배려하는 인간관계 능력도 더욱 중요해질 것이다. 창의성과 인성이 강조되는 시대이다. 따뜻한 마음을 가진 인간적인 능력이 실력이 되는 세상이다.

우리나라 선생님들은 미래 인재 양성에 희망의 등불이다. 교사는 배워서 남 주는 삶이다. 수업에 열정과 사랑으로 능력을 발휘하는 게 유능한 교육실천가이다. 교사는 희노애락(喜怒哀樂)의 생활이고 동분서주의 삶이다. 교사에게 부여된 소명(mission)은 학생을 제대로 잘 가르치는 것이다.

교사는 완전한 인간이 아니다. 모르는 것이 많으며, 학생들의 질문에 모든 걸 알려줄 수 없다. 스스로 생각하고 궁리하고 탐구하게 한다면 좋은 일이다.

교사의 직업관에는 크게 성직관, 노동직관, 전문직관 이렇게 세 가지로 나뉜다.

과거 교직은 '스승의 그림자는 밟아서도 안 된다'라는 의식이 있었다. 교직은 하늘이 부여한 가치 있는 일로 여기는 직업관이다. 교사에겐 적절한 인격과 교양을 갖추고 도덕적으로 높은 행동 수준을 요구한다. 주로 교사의 사명감과 희생을 요구한 경우가 많았다. 교사는 사랑과 봉사, 희생을 요구하는 성직관 이다. 교원에게 특별한 사명감과 소명 의식이 필요하기 때문으로 보는 직업관이다.

지금도 교사에겐 도덕적인 책무도 강조한다. 가르치는 학생에 관한 관심과 사랑이 제일이다. 지금도 변함이 없다.

또 다른 하나는, 가르치는 일은 노동으로 보는 노동자 교직관이다. 학교(직장)에서 수업과 업무의 노동을 제공하고 보수를 받는다는 경제적 측면이 대두되고 있다. 세상을 살아가는데 필요한 분야의 직업으로 존재하는 삶이다.

교육공무원 신분으로 교사도 생계를 유지해야 한다. 교육공무원은 정년 보장과 노후 연금 수령, 일과 생활의 균형이 보장되기에 여전히 인기가 높다. 최근에는 과거보다 낮아지고 있다.

현재 교사는 만 62세가 정년이다. 교사 정년퇴임을 하고 사회로 당당하게 돌아갈 수 있어야 한다. 교사로서 보람과 만족을 얻는다지만 경제적인 보수는 자본주의 사회에서는 당연하다. 연금이 지급된다고 하더라도 연금 개혁은 더 주는 방향은 아니다. 아마도 연금이 줄어들지 않을까? 걱정이 앞선다. 더 나은 삶을 살려는 게 인간의 본성이다.

교육공무원법 제34조(보수 결정의 원칙)에서도 교육공무원의 보수는 "우대"되어야 한다고 정하고 있지만, "자격, 경력, 직무의 곤란성 및 책임의 정도에 따라 대통령령"으로 정하도록 위임하고 있다. 교원의 지위에 관한 사항에서 교사의 경제적 지위를 결정하는 보수는 매우 중요하다. 이젠 교육관련 모든 수당을 현실에 맞게 인상하는 게 존중이다.

교사의 전문가적 직업관이다. 전문직관은 전문직인 지식과 기술을 가지고 국가 공인 교사자격증을 가진 전문가가 학생을 가르치는 직업으로 보는 점이다. 교사를 전문적인 직업으로 보는 관점이다.

사회의 모든 직업이 전문직업이다. 세상 모든 직업은 다 천직(天職)이고, 교사는 천직(天職)의 하나이다. 이 세상에는 천직(賤職)은 없다. 다만 남에게 피해를 주는 천한 행동을 하는 사람이 있을 뿐이다.

나는 누구인가?

공부란 무엇인가?

교사는 무엇하는 사람인가?

교사로서 보람찰 때도 있고, 그만두고 싶어질 정도로 자존심 심하게 상하기도 한다. 또한 교사는 학생, 학부모, 관리자 관계가 힘들 때도 많다. 재직하고 있는 기간 인내하고, 협조하고, 변화하며 지낸다면 교사로서 보람과 긍지를 느낄 때도 있다. 교사 생활에 만족감을 유지하려면 초심을 유지하며 열심히 하는 뒷심이 중요하다. 학생을 사랑하는 마음이 우선이다. 또한 감사하는 마음은 일상의 스트레스를 이길 수 있는 활력소이며 보약이다.

수업 시작하는 마음가짐이 오늘도 행복하게, 오늘도 무사히가 제일 중요하다. 정시에 시작하고 반갑게 인사하는 게 기본이고 수업의 정석이다.

"세상은 아는 만큼 보인다"라고 한다. 교사 삶을 살아보니 선(善) 모델이자 도덕적 모범이어야만 했다. 교사 학교생활은 외롭고, 괴롭고, 즐거움과 기쁨이 교차하는 삶이다. 보람과 만족은 내 뒤를 따라오고 있다. 교사는 나와 사회, 국가와 세계, 미래를 생각하는 안내자 역할을 하는 것이다.

오늘날 모든 직업은 사명감과 책임감으로 세상에 이바지한다. 특히 교사라는 직업은 거룩하고 자랑스러운 직업이다.

수업과 학생 상담, 학부모 면담 등의 업무를 해나가며 온갖 민원에 시달리며 학생들에게 영향력을 크게 미치는 직업이다.

교직은 천직(天職)을 넘어 거룩하고 성스러운 직업이다. 교직은 오랜 기간 지내보면 보람과 만족을 느끼는 직업의 하나이다. 교직은 성직(聖職)으로 존재해야 더욱더 보람 있는 일이 되고, 존중과 존경이 되면 국가의 장래가 밝다.

1장 학교는 무엇을 가르치는가?

교사는 무엇을 가르치는가?

　교육기본법 제9조(학교 교육) ③항에는 "학교 교육은 학생의 창의력 계발 및 인성(人性) 함양을 포함한 전인적(全人的) 교육을 중시하여 이루어져야 한다."이다.

　학교 교육의 목적은 이러한데 학교 교사는 행정업무에 바쁘게 지낸다. 교사는 수업과 담임, 교무(敎務)업무를 담당한다. 교사의 역할도 재조명해서 수업이 제일인 학교 환경이 되길 기대한다. 선생님들은 사명감을 가지고 열심히 학생을 가르치고 있다. 교사가 창의력 계발 및 인성(人性) 함양을 포함하는 교육을 하려면 교사 자격제도와 수업의 방향을 개선해야 할 시기이다.

　인공지능(AI) 디지털 교과서가 도입될 예정이다. 인공지능(AI) 기술은 개인 맞춤형 학습에 적합하다. 디지털 기술을 활용하여 수업 혁신할 수 있도록 인공지능(AI) 활용에 바쁠 것 같다. 인공지능(AI) 활용으로 개인의 잠재력과 창의성을 키우며 교육의 가치를 실현하는 계기가 되길 기대한다.

교사는 배워서 남 주는 삶이다. 배워서 남 주겠다고 했지만 나를 위한 삶이다. 배우는 것은 지식을 습득하고 인격을 형성하는 삶이다. 배우고 가르치며 가족의 생계를 책임지다 보면 어느덧 퇴직이다. 지금은 잘한 일, 잘하지 못한 일이 모두 생각난다. 그 일을 생각하고 반성하며 성찰하게 되니 깨달음을 얻는다. 나 자신을 위안하며 더욱 감사함을 느낀다.

교사의 마음가짐이 기다리며 인내하는 걸 지금 이해한다. 이 사실을 미리 알았더라면…. 조급한 마음으로 지낸 게 부끄럽다. 꾸준한 열정으로, 올바르게 가르치는 게 교육임을 이제야 알게 된다.

교사의 전문성은 무엇일까?

행복한 수업을 디자인하고 진행하려고 늘 준비하는 게 유능한 교사다. 교사는 수업이 생명이다. 교사는 수업에서 조력자 역할하는 게 코칭이고 티칭이다.

일상에서 수업하지만, 수업 시간에 과연 학생들이 수업을 제대로 다 들었을까 궁금하다. 모두 다 잘 듣고 이해할 것으로 생각했지만, 시험을 보면 다 알게 된다. 듣는 시늉만 하고, 앉아 있었다는 것을…. 학생이 수업 시간에 적극적으로 참여한다면 행복한 수업 시간이다. 참여하는 수업은 학생에게 활동할 거리를 제공하는 것이다.

1장 학교는 무엇을 가르치는가?

누구나 마음먹기에 따라 일상이 다르다. 학생에 대한 사랑과 열정을 간직하는 내 마음이 우선이다. 학생들에게 도전과 꿈을 키워주는 게 교사다. 꿈을 이루도록 지원하여 성취감을 부여하는 게 교사의 가르침이다. 학생들에게 가르친다는 것은 기쁜 일이며, 보람과 만족을 느끼는 일이다.

선생님들의 던진 말 한마디가 학생들의 인생을 180도로 바꿔놓을 수가 있다. 전체에겐 높임말을 쓰고 1:1은 친근하게 대화한다. 존중하는 언어사용은 존중받는다. 또한 학생이 선생님께 반갑게 인사했는데도 안 받아주시고 그냥 지나칠 때 학생들은 큰 상처를 받는다. 예절은 개인의 가치를 높이는 표현 방법이다. 따라서 학교에서 가르치고 지켜야 할 소중한 가치이다.

"함께하면 멀리 간다."라는 말이 있다. 학교는 성장하고자 열정 있는 선생님들이 많다. 모두가 학생들을 위해 고민하고 있다. 학교 내 또는 학교 밖의 모임을 통해, 함께 성장한다는 마음으로 배우는 게 제일이다. 배워서 가르치는 일을 평생 한다. 유·초·중·고등학교 교사는 수업이 일상이다. 수업을 연구하며 잘하고 있다. 수업 잘하는 건 거기서 거기다. 오십보백보요, 도긴개긴이다. 한마디로 모두 다 비슷비슷하다. 동료 교사의 공개수업을 참관하면서 반면교사를 느끼며 성장하는 삶이다.

교과에 대해 진지하게 고민하는 교사는 고민하는 만큼 교과 전문성이 향상된다. 동료와 함께 수업 고민을 하면 해답은 나온다. 내가 지금 가르치는 마음이 변하고 있다. 교육은 인내하는 것이며, '피그말리온'을 바라본다. 학생들의 현재 상태를 인정하고 지지하고 격려하는 거다. 교육은 기다림이다.

교사는 열정과 사랑으로 자기 능력을 발휘하는 게 유능한 교육실천가이다. 우리나라 선생님들은 미래 교육의 나침반이고 희망의 등불이다.

지금까지 무엇을 가르쳤을까?

학교 교육의 목표이다.

학교는 학생들이 교과 지식과 정보를 학습하고 다양한 경험을 하는 곳이다. 학생들에게 지적, 신체적 및 정서적으로 조화로운 발달을 촉진한다. 학생 개개인의 잠재적인 능력, 지식이나 기능에 대한 적성을 개발한다.

대한민국 교육의 학교(급)별 목표

초등학교 교육은 학생의 일상생활과 학습에 필요한 기본 습관 및 기초 능력을 기르고 바른 인성을 함양하는 데 중점을 둔다.

중학교 교육은 초등학교 교육의 성과를 바탕으로, 학생의 일상생활과 학습에 필요한 기본 능력을 기르고 바른 인성 및 민주 시민의 자질을 함양하는 데 중점을 둔다.

고등학교 교육은 중학교 교육의 성과를 바탕으로, 학생의 적성과 소질에 맞게 진로를 개척하여 세계와 소통하는 민주 시민으로서의 자질을 함양하는 데에 중점을 둔다.

교사는 학년 초 연간 수업을 계획하고 더 좋은 수업을 위한 방법을 늘 연구한다. 수업할 내용을 미리미리 준비하고, 즐거운 마음으로 교실에 들어간다. 요즘 교사는 수업 시간에 교과를 가르치며 시험 보고 평가하고 기록하는 게 교사의 주 업무가 됐다.

교사가 열심히 준비해서 가르치는 데 배우려고 하지 않으니 걱정이다. 교실에선 교사와 학생 상호 소통이 중요한데 안타깝다. 수업 시간 학생들은 모두 다르다. 수업에 집중하는 학생, 가만히 앉아 있고 생각이 다른 학생, 전혀 듣지 않는 학생, 잠을 자는 학생도 있다. 열심히 듣고 외우는 학생도 있고, 딴짓하는 학생도 있다. 아예 수업을 방해하는 때도 있다.

과거엔 기합도 주고 벌점도 주는 제도였지만, 지금은 말로만 지시할 수밖에 없는 상태이다. 큰소리치거나 위협하면 아동 학대라고 신고한다. 안타까운 일이 교실에서 일어난다.

수업 속에서 무엇을 가르쳤을까?

이젠 교사의 역할이 지식 전달자의 역할보다 문제를 찾는 지식 탐구자 되게 수업해야 한다. 정보를 찾도록 도와주는 촉진자와 격려하는 역할이 중요하다. 이제는 알게 됐다. 교육은 학생과 교사의 관계 맺기라는 걸…. 지식을 넣어주는 게 아니고 지식을 탐구하도록 질문하는 게 교육이라는 걸 깨닫는다.

호기심과 관심을 가지도록 해야 한다는 걸 이제야 깨닫는다. 교육과정을 진행했는지, 학습 목표를 가르쳤는지 생각한다. 요즘 학교 교육이 진도 나가고 시험 보는 게 전부인 시대가 되었다.

"늦었다고 생각할 때가 가장 빠른 때이다."라는 명언의 의미를 되새기며 지금부터 시작이다. 새롭게 마음먹고 나부터 실천하는 일이 남아있다.

교사는 가르치는 삶이다

교사가 되기 위한 과정은 매우 엄격하다. 신규교사는 공개 시험으로 경쟁이 치열한 임용고시를 거쳐 교사가 된다. 교육학 전문성 시험, 수업 실현과 면접을 모두 거친다. 또한 신규교사들은 열정과 패기가 넘친다. 교사의 자부심과 자긍심을 갖추고 수업 준비에 최선을 다한다.

신규교사는 모든 게 새로운 직장생활이다. 신입사원이나 마찬가지이다. 모든 게 새롭고 신기하고 어리둥절하다. 교생 실습을 4주간 경험해도 신규교사는 모든 게 낯설다. 각자 적응을 잘해야 한다. 교육 현장에 큰 기대를 안고 출발한다.

교사로 임용되면 매일 수업하고 충실하게 학생을 가르친다. 학생을 가르치는 교사는 수업 전문성을 갖추고 있지만 부족함을 느낀다. 동료 교사와 협력하고 학생 상담과 생활지도, 진로교육 등을 하며 지낸다. 여러 가지 배우느라 바쁘다. 배우고 가르치는 삶을 사는 학교문화에 적응하느라 정신없이 하루가 지나간다.

교사는 날마다 하는 일이 거의 비슷하다. 출근하자마자 교실에 가는 게 담임교사의 일상이다. 교실에서 학생의 동태를 파악하고, 그날의 수업을 준비한다. 아침 인사와 교실에서의 출결 상황 파악과 당일의 전달 사항이다. 수업 종이 치면 수업을 시작하게 된다. 수업 마친다고 다가 아니고 행정업무 처리를 해야 하니 하루가 빠르게 지나간다. 매일 같은 업무이지만, 학생들의 다툼이나 문제가 발생하면 처리해야 할 상담업무가 더욱 증가한다. 학교폭력 업무처리를 해야 하며, 학생들의 상담을 해야 한다.

"오늘도 무사히" "오늘도 파이팅"을 외치는 하루하루 시간이 빨리 흐른다. 경력이 쌓이면 수레바퀴 같은 학교생활에 잘 적응하며 여유가 생긴다. 커피도 마시고 휴식도 취한다. 늘 적극적인 교사, 긍정적인 교사, 학생 수업에 최선을 다하는 교사가 된다. 모두 열심히 한다. 그러나 학생과 갈등이 있거나 해야 할 업무를 놓치는 경우가 발생한다. 안타깝고 속상하고…. 괜찮다. 나도 그랬다. 실수해도 괜찮다. 다시 하면 된다. 마음먹는 게 교사다.

하루, 1주일, 한 달 지내다 보면 체험학습, 시험, 체육대회, 방학이 다가온다. 개학하고 다시 같은 일을 반복하는 삶이다. 콩나물이 콩 시루에서 나날이 성장하듯이, 교사나 학생도 나날이 성장하고 성숙해지는 삶이다.

교과 전문성을 위한 수업 내용을 공부하고 평가에 대한 방법을 연구하고 가르친다. 의무 연수도 이수하고 학생의 문제를 해결하려고 주위 교사들에게 질문하며 터득한다. 학생의 생활교육을 위한 심리와 상담 공부도 한다. 그동안 경험으로 보면 교사들은 공부하기를 좋아했던 사람이 많다. 공부하는 삶에서 가르치는 삶으로 변환 자 되는 것이다.

1정 교사는 교직 생활 3년이 지나면 1정 연수를 받는다. 1급 정교사 자격증을 취득하며 1호봉의 승급이 이루어진다. 부장 교사를 할 수도 있다. 부장 교사는 선택이지만 1급 정교사가 주로 한다. 1급 정교사가 되고 5년~30년 경력이 돼도 교사자격증 갱신이나 승급은 없다. 교사는 1급 정교사 자격이 끝이다. 고경력 교사 자격에 대한 갱신이 없는 상황이다. 교사의 자격제도 개선이 필요하고 자격에 따른 호봉과 보수를 추가로 승급해야 한다. 교사 성과급 차등하는 제도는 없애고 승급 자격과 능력이 따른 보수를 지급해야 한다.

교사 승진에는 승진 점수가 있다. 학교 교육과 교육 분야 연구 업적에 이바지한 교원이나 도서 벽지 근무 교사 승진의 기회를 부여한다. 또한 상급학교 진학 지도 활성화에 이바지한 자에게도 부여된다. 열심히 공부하고 연구하는 교사가 수석교사, 장학사, 교감, 교장이 될 확률이 높은 건 사실이다.

노력하고 고생한 준비된 교사가 받는 선물이다. 일반교사가 기피 하는 업무를 선택해서 좀 더 고생하고 연구하고 노력한 교사이다.

교육공무원 법제37조(연수의 기회균등)는 "교육공무원에게 는 연수기관에서 재교육받거나, 연수할 기회가 균등하게 주어 져야 한다."이다. 우리나라 교원 연수제도는 불평등하며, 문제점이 많다. 교사 경력단계별 맞춤형 연수 제공으로 수업 전문성 향상에 필요하다. 교사의 자발성 연수는 나를 성장시키는 동력이다.

승진하지 않는 분들은 학생 교육에 최선을 다하시는 진짜 훌륭한 선생님들이다. 평생 수업의 달인이다. 학생과 함께 즐기고 성장하고 발전하는 최선을 다하는 교사다. 이분들의 사명감과 열정이 넘치기에 학교가 우뚝 서 있는 것이다. 존경과 존중의 대상이며 본받을 만한 스승이다.

교사의 행복이다

시작종 칠 때
들어갈 교실이 있다는 게

수업할 때
의미와 가치를 나누는 게

함께할 때
즐거움과 만족이 느껴지는 게

마치는 종 칠 때
아쉬움에 즐거움이 교차하는 게

교실 나올 때
보람과 만족을 느끼는 게

늘 반복하는 게
교사의 행복이다.

교사는 퍼실리테이터이다

학교는 학생들에게 다양한 학문과 기술을 배우게 익히도록 가르친다. 자신의 관심사와 재능을 발견하고 개발할 기회를 제공한다. 학생들의 꿈과 끼를 발견할 수 있는 살아있는 놀이터이다. 학교는 매일 변화무쌍하다. 자신을 표현하고, 사회성을 배우며, 미래를 위한 준비 하는 장소이다.

학생들은 질풍노도의 시기이다. 요즈음 청소년들은 정말 가르치기가 예전과 같지 않다. '럭비공이 어디로 튕길지, 개구리가 어느 방향으로 튈지 모른다'라고 한다. 학생들이 이렇다. 학생을 럭비공이나 개구리로 비유하는 게 아니다. 어떻게 될지 모른다는 것이다. 어제는 고분고분하더니 오늘은 대들거나 반항한다. 특히 수업 시간 학생들의 태도가 바르지 못하면 스트레스가 된다. 제지할 대책이 없는 게 교사의 일상이다.

교사는 학생들의 미래를 위해 성장을 돕고 지원한다. 가르치는 일을 즐겁게 하지만 업무수행에 많은 어려움도 많다. 특히 학생들의 생활 태도와 학습 습관의 상담에 가장 힘들게 느끼고 있다. 교사는 학생 상담엔 많은 시간이 필요하다.

학교는 학생과 학부모 상담할 시간도 없이 바쁘다. 학원 간다며 학교 교사 상담을 하지 않는 학생들 안타까울 따름이다. 모든 분야 다 잘할 수는 없지만, 학생과 학부모 막힘이 없는 소통의 달인이 되어야 한다.

교사와 학생 간에 일어나는 문제를 옆에 있는 선배 교사, 부장 교사에 질문하여 해결하면 다행이다. 그분들도 각자 학교 업무에 바쁘다. 다만 누구와 정보를 나누어야 할지 고민이 많다. 학생도 상담이 필요하듯이 교사도 상담이 필요하다.

생활지도를 위해 주변 교사의 도움을 구하고, 정보를 적극적으로 공유해야 한다. 그래서 교사는 전문가와 상담하고 싶다. 내 마음도 진정이 필요하고 자존감을 높이고 싶다. 늘 당당하고 자신감 있는 학교생활 하고 싶다는 교사가 많다. 누구나 가끔 자괴감도 느낀다. 학교에서 학생의 바람직하지 못한 행동의 경우엔 정당한 교육활동이 보장되어야 한다. 교사가 교육할 권리는 보장되고 보호되어야 한다.

학교생활에 자신감을 부여하는 게 교사이다. 학생에게 자존감을 높이는 말을 자주 해주며 자신감 있게 학교생활을 잘 유지하도록 안내한다. 매우 가치 있는 일이다. 담임교사와 교과 교사가 해야 할 이보다 중요한 일이 있을까?

교사가 교실에서 제대로 교육하고 싶다. 고경력의 학교생활 전문가인 수석교사가 있으면 컨설팅 지원할 텐데 우리 학교에는 수석교사가 없다. 필요할 때 누군가에게 도움을 도와주어야 한다. 수석교사는 다양한 수업의 방법과 사례를 공유한다. 수업의 본질을 추구하며 정보를 제공하고 학습자료를 공유한다. 학습 목표를 달성할 수 있도록 촉진하고 지원하는 일을 한다.

Teacher는 of student by student for student이다. 교사는 Facilitator, Mentor, Leader, Server, Tipper, Helper, Giver, Lover이다.

학교 현장의 교사는 퍼실리테이터(Facilitator)이다. 교사는 정보와 자료를 주는 Giver이며, 도움을 주는 Helper이다.

경험은 인생의 스승이다

교사의 주 업무는 수업을 연구하고 학생을 가르치는 일이다. 교육과정의 핵심역량 함양을 위하여 교과 전문성 향상과 학생들의 맞춤형 교육을 하기에 너무나도 바쁘다.

학교에서는 학기 중에 수업하고 평가하며, 평가 결과 점수와 역량을 학교생활기록부에 기록한다. 학교생활을 기록하는 내용과 성적 등급, 석차 등의 결과는 상급학교 진학에 사용된다.

교사는 수업이 주 업무지만 인성교육과 학생 상담, 학교폭력 예방 등 업무를 해야 한다. 각 기관에서 쏟아지는 공문은 엄청나다. 학생 생활지도를 위하여 행정업무 경감을 요구한다. 학생 인원수라도 적으면 개인별 맞춤형 교육을 하고 싶지만 여의치 못하다. 배우고 가르치는 교사의 업무는 늘 이렇게 고되다.

수업하다가 공문처리 하는 건지, 공문처리 하다 수업하는 건지 늘 바쁘다. 수업 연구할 시간도 없이 공문처리에 바쁜 생활을 언제까지 해야 할지 고민이고 걱정만 는다.

1장 학교는 무엇을 가르치는가?

교사는 자율연수, 필수로 지정되는 연수를 하며 직무 수행에 필요한 역량 강화 연수를 매년 이수한다. 시간 없는데 필수 연수니 반드시 이수하고 이수증 제출하란다. 교사는 학기 중 바쁘다 바빠. 교사 전문성 향상과 교실 수업 개선을 위한 수업을 연구하고자 하나 늘 퇴근 시간이 다가온다.

　　학교에서 피할 수 없는 일이 너무나도 많다. "피할 수 없으면 즐겨라."라는 말이 새삼스럽다. 학교 업무가 많아 즐기기에는 너무 어려운 상황이다. 피할 수 없는 일을 억지로 즐기는 것이 과연 행복한 일일까?

　　교사는 담임 업무도 한다. 학생을 상담해야 제대로 파악할 수 있다. 상담전문가로 지내는 게 교사의 일상이다. 하지만 학생을 이해하고 격려하고 지지하는 상담할 시간도 없다.

　　요즘 사춘기 학생은 가르치기 정말 힘들다. 수업 시간에 학생들이 고분고분하면 좋겠지만 그렇지 않다. 공감할 수 없을 정도의 소란과 장난도 한다. 이해하고 싶지만 늘 안타깝고 속상하다. 좋은 수업 하려면 대화가 기본이다. 학생과 대화, 선배 교사와 대화를 많이 하면 할수록 배움이 많게 된다. 교육 철학은 선배와 대화하면서 배우는 것이다.

탈무드에는 "뛰어난 사람은 두 가지 교육을 받고 있다. 그 하나는 교사로부터 받는 교육이요, 다른 하나는 자기 자신으로부터 받는 것이다"라고 되어 있다. 꼰대의 경험으로 세상을 바라보면 내 기대치가 높게 바라본다.

교사는 가르치고 연구하니 더욱 바쁘다. 주변 교사와 수업 대화를 많이 하고 연구하면 몰랐던 것을 배우게 된다. 이때 듣는 정보 나눔에 깨달음은 너무나 크다. 문제가 생기면 주변 선배 교사에게 도움을 청하자. 대화는 대부분 문제를 해결하는 방법이다.

어쩌다 시간 내어 연구하려면 각종 회의한다고 모이라고 방송한다. 회의에 회의를 느끼는 교사가 많다. 나도 그랬다. 학기 중에는 회의나 연수를 줄이는 게 교사에게 도움을 준다. 수업 전문가로 연구하고 가르치고 싶은 게 소망이다. 교사는 인정받고 격려받고 상담받고 치유하고 싶다. 또한 존중받고 지지받고 싶다. 공감하며 지지해 주는 마음뿐이다.

우리나라의 성장과 발전이 개인의 노력도 있지만, 인재가 되도록 가르친 자는 누구인가? 가르치는 교사가 존중받고 존경의 대상이 되어야 나라의 장래가 밝다.

1장 학교는 무엇을 가르치는가?

미래 인재가 누구인가?

학교는 학생에게 진로에 어떤 도움을 주어야 하는가?

수업에 철학이 있을까?

학교에서는 진로 교육이야말로 정말 중요하다. 그러나 학교에서는 시험 보는 과목, 수능에 관련 있는 과목만을 열심히 하는 것이 공부인 양 지내는 학생들이 너무 많다. 이를 걱정하게 된다. 진학을 위한 교육이 아니라 개인의 특성과 소질에 맞는 진로 필요성이 요구된다. 개인의 미래를 위하여 나아갈 길이 진로 교육이다.

학교가 명문대 보내기 목표를 두고 학생을 가르친다면 교사의 본분을 다했다고 할 수 있을까?

교육의 목표는 무엇일까?

그리스의 철학자 디오게네스는 "모든 국가의 기초는 그 나라 젊은이들의 교육이다."라고 말했다. 국가는 학생 교육이 기본이다. 미래 인재가 행복하게 살아가도록 열정과 노력에 지원해야 한다. 학교는 학생들에게 자신의 진로를 탐색하고 진로를 지원해야 한다.

"경험은 인생의 스승이다."라고 한다. 교사의 다양한 경험은 학생들 가르치는 데 유용하다. 지금 고경력 교사도 한때는 신규교사다. 교직의 경험을 필요 없다고 한다면 할 수 없지만 좋은 비법은 누가 전수 할지 안타깝다.

국가는 고경력 꼰대 교사를 존중해야 한다. 이유는 그동안의 노력과 공헌을 생각해 보면 알 수 있는 것이다. 유능한 교사는 학생과 소통을 잘하는 게 중요하다. 수업을 잘하도록 도와주고 컨설팅하는 고경력 교사의 노하우도 중요하다. 고경력 교사는 홍익인간 양성의 이념으로 교육의 철학을 가지고 학생을 교육하는 경우가 많다.

1장 학교는 무엇을 가르치는가?

수업이 학교를 바꾼다

학교는 배움의 장소이다. 배움에는 경청과 집중력이 제일이다. 교사에게 질서와 예를 지키며 소통하는 것이다. 수업에는 정답은 없고 정성과 정석이 있을 뿐이다. 희생과 봉사로 학생을 가르친다지만 이젠 보상이 필요한 시기다.

교사의 삶을 살아보니 재미있고 즐겁게 지내는 법은 따로 있다. 일상에서 수업을 즐기는 것이다. 교사는 서서 말하는 육체노동자고, 상담하며 지내는 정신노동자고 사춘기 학생들을 보육하는 감정노동자인데 '즐겁게 지낼 수 있을까?' 할 것이다. 교사는 이런 일을 하는 직업임을 알아야 하고 인정하고 존중해 주어야 한다.

수업이 힘들다는 걸 재미있게 표현한 말이다. 뱀장어를 모아놓고 제식 훈련하는 것처럼 힘든 게 학생 교육이다. 수업의 힘듦을 표현한 말이다. 미성년자를 가르치려니 얼마나 힘든지는 수업을 해보면 안다.

수업은 교사 혼자 하는 게 아니라 학생과 함께하는 것이다. 수업하다 보니 즐겁고 재미있게 의미 있는 수업 방법이 따로 있더라. 교육의 기본은 학생과의 관계다.

교사는 가르치지만, 배우는 학생이 따르지 않으니 안타까울 따름이다. 학생들이 하고 싶은 것만 가르치면 잘 따르려나. 솔직한 마음은 마지못해 수업하는 때도 있다. 교사의 수업은 사랑과 열정인데 학생들은 무관심이 증가한다. 내 마음이 어떠한가에 따라 수업 분위기가 달라진다. 학교에서 수업하는 건 교사의 마음가짐이 우선이다. 학생들은 미성년자인지라 성장하도록 기다리는 곳이다. 졸업하면 성장의 끝이 아니라 다시 시작하는 것이다.

수업에 임하는 마음가짐은 중요하다. 수업에는 여섯가지의 마음가짐이 있다. 6심(六心)이다. 교사는 스스로 양심(良心)에 따라 열심(熱心)히 하는 게 본분이다. 사명감을 잃지 않는 초심(初心)과 학생들과 함께하는 합심(合心)이 근본이요, 교육에 철학을 지닌 중심(中心)을 잡고 교육하는 것이다. 이젠 뒷심을 발휘할 때이다. 지금까지 교육 현장에서 느낀 경험을 진심(眞心)으로 하는 이야기다.

교사의 기본적인 행동 5가지

학교 수업 시간 경험으로 제시하는 사항이다.

생각이 바뀌면 행동이 바뀐다는 말이 있듯이 교사의 수업에 관한 교사가 갖추어야 할 기본적인 행동 수칙을 정리한다. 일반적인 내용을 재미있게 실천하자는 말이지 이는 정답은 아니다. 저자의 생각으로 작성하는 글이다.

교사가 갖추어야 할 기본적인 행동 수칙 5가지이다.
수업 시간 내 마음의 자세이다.

　　일, 일단 신나게 수업한다.
　　이, 이야기하듯이 수업한다.
　　삼, 삼갈 말은 삼가고 가르친다.
　　사, 사랑과 열정으로 가르친다.
　　오, 오래 수업하려면 공부해야 한다.

첫째, 일단 신나게 수업한다.

수업 시작종이 치면 즉시 들어간다. 만약 업무처리 때문에 한두 번 늦게 교실 가는 이유가 있겠다. 그렇지만 이런 일이 반복되면 교사의 양심상 문제가 많다.

교실에 늦게 들어가는 교사의 신뢰도는 어떻게 될까?

어떤 학생들은 이런 교사를 좋아할 수도 있다. 만약 늦으면 늦게 온 이유를 간단하게 설명하면 다 이해할 것이다. 수업은 일단 정시에 시작하고 시간의 중요성을 강조하면 된다.

업무처리를 하다가 만약 늦게 들어갔는데 그때 하필 교실에서 사고 난다면 어떻게 될까? 학교는 항상 안전이 제일이다.

누가 먼저 인사를 해야 할까?

과거엔 모두 바른 자세로 "차렷, 경례"하면서 인사를 반드시 했다, 요즘엔 그런 경우는 거의 없다. 시대에 걸맞게 하는 방법에 적응해야 한다. 먼저 인사하는 게 제일이다. 교실에 들어서면 반드시 인사하는 습관과 태도는 학생과 관계를 부드럽게 한다. 또한 출석부는 반드시 확인한다.

과거 초임 시절엔 출석 체크 확인을 왜 하지 않느냐고 관리자에게 지적받기도 했다. 요즘엔 보조장부라서 문제가 없지만, 과거엔 학급일지와 출석부를 기록하고 결재받아야만 했던 시절이다.

교실에서 하는 수업엔 정석이 있다. 수업에서 동기유발과 전시학습 확인이다. 도입, 전개, 정리 및 형성평가를 습관처럼 하고 있다. 수업 시간은 교사의 재량이 많다. 다양한 교수 방법을 적용하여 신나게 수업한다. 요즘엔 각자 알아서 PPT나 학습지 등 준비한다. 수업 시간 중요한 것은 학습목표 달성과 형성평가다.

둘째, 이야기하듯이 수업한다.

교과 수업 시간에 이야기하듯이 수업한다. 이야기는 학생들의 학습 흥미를 유발하게 된다. 다양한 질문을 던져 학생의 사고력을 확장하게 시킬 수 있다.

과거엔 수업 내용을 이해시키려고 강요하는 수업을 했다. 강제로 가르치니 공부에 관심이 없거나 딴짓하는 학생들을 미워했다. 지금 생각하니 학생이 열심히 하는데도 무시한 게 속상하고 미안하다. 내 설명이 이해하기 쉽게 해야 했는데 외우라고 강요한 게 잘못임을 깨닫는다.

"당신에게 가장 중요할 때는 언제인가?

당신에게 가장 중요한 일은 무엇인가?

당신에게 가장 중요한 사람은 누구인가?

당신에게 가장 중요할 때는 현재이며,

당신에게 가장 중요한 일은 지금 하는 일이며,

당신에게 가장 중요한 사람은 지금 만나고 있는 사람이다."
라고 톨스토이는 말했다.

가르치는 이 순간이 제일 중요한 삶이다. 공부는 더 나은 삶을 살기 위해 하는 것이다.

셋째, 삼갈 말은 삼가고 가르친다.

과거 수업 시간엔 수업 준비 태도를 중요시했지만, 관계 맺기는 못했다. 강의식 수업으로 진행하며 집중하라며 강요했다. 그러면서 심한 말도 하고 화내고 나무랐다. 학생을 가르치며 바른말과 고운말 해야 하는데, 그렇지 못한 그동안의 수업을 반성한다. 심한말을 들은 학생에게 잘못했다고 미안하다고 당시에 사과하지 못한 게 후회된다. 당시의 무심코 했던 심한 말을 모두 잊혀지기 바랄 뿐이다.

넷째, 사랑과 열정으로 가르친다.

교사는 학생을 사랑하고 열정으로 가르치는 게 제일이다.

학생은 보살피고 도와주는 대상이다. 이를 강요하는 게 아니라 함께 하는 시간이다. 학교 수업 시간은 이런 따뜻한 마음이 제일이다. 가르쳐도 모르니까 학생이고 알려줘도 잊어버리는 게 학생이다. 학생을 측은지심으로 보면 만사가 형통이다. 요즘 교사는 교육해야 하고, 보육하는 사람이 된 지 오래되었다. 모르는 걸 가르치는 게 즐거움이고 행복이다.

다섯째, 오래 수업하려면 공부해야 한다.

교사는 배우고 가르치는 자이다. 가르치려면 교과 지식은 물론이고 세상의 현실 분야도 가르쳐야 한다. 진도 나가야 하니 수업 시간이 부족하다고 핑계를 댈 수 있겠다. 학교가 여유 있는 시간이 없어 안타깝다.

존 듀이의 명언 "어제 가르친 것처럼 오늘의 학생들을 가르친다면 그것은 그들의 내일을 빼앗는 일입니다."라고 했다.

교육은 삶과 연계한 교육이 되어야 한다. 과거의 지식도 중요하지만, 일상에서 써먹는 지식은 더욱 중요하다.

교직은 배울 게 너무 많다. 심폐소생술, 소방 교육, 다문화 교육, 미디어 리터러시 등 매년 이수해야 할 의무 연수도 많다. 학생 상담 방법, 시험문제 출제 요령, 학교 생활기록부 작성법 ….

교사가 많이 공부한다고 손해날 것은 없지만, 배우면 배울수록 부족함을 알게 된다. 교사는 배우고 익히며 가르치는 삶이다.

좋은 수업을 위한 한 가지 방법이다. 수업 시간 교실 뒤에 카메라를 설치해 내 수업을 찍어 살펴보는 일이다. 자랑스러울지 부끄러울지는 스스로 알게 된다. 언어, 표정, 판서, 행동, 교실에서의 태도를 깨닫게 된다. 교사가 성장하고 성찰한다는 건 잘해보겠다는 행동이다. 모든 것은 내 마음가짐에 달려 있다. 저자도 몇 번 경험 해보니 나날이 자신감이 생긴다.

교사 경험은 가장 훌륭한 스승이다. 수업은 학생들의 마음을 행복하게 하는 일이다. 교사가 수업하는 일이 행복하면 학교생활이 즐겁다. 모두 즐겁고 행복한 학교생활을 바란다.

교사는 교육실천가다

  교사는 수업을 연구하고 가르치는 게 당연하지만, 지금의 교실 상황은 교사의 역량 한계치에 다다르고 있다.

  힘드니까 교사라 하지만 누가 끝까지 열정을 가지고 할지 걱정이 앞선다. 행정업무는 증가하고, 학생들은 수업 시간에 참여를 안 하니 안타깝고 속상하다. 체력적인 한계, 시간의 한계 때문에 교육이 사교육기관만 번성하고 사교육비가 증가하고 있다.

  교사들의 고충을 알아달라는 게 아니다. 교육을 제대로 하는 싶다는 게 교사들의 외침이다. 특히 소규모 학교에서는 교사들의 행정업무 때문에 학생과 관계 맺을 시간도 부족하다. 업무는 많고 교사 수가 적기 때문이다. 대도시에서는 학생 수가 많아 힘들고, 소규모 학교에서는 행정업무가 많아 더욱더 힘들다. 학교에서 반드시 교육해야 할 것을 가르치고 싶다. 학교가 홍보 기관도 아니고 모집기관이 아닌데 타 기관 공문은 쏟아지고 있다. 교사는 행정업무 때문에 수업하기가 힘들다.

교사는 무엇 하는 사람인가?

나는 무엇을 가르치는가?

나는 왜 가르치는가?

대부분 교사는 학교에서 학생에게 학습 의욕이 생기도록 노력한다. 과정 중심 평가도 마찬가지다. 좋은 평가 방법을 누가 모르는 건 아니다. 그렇지만 과정 중심 평가하려면 수업 시간에 관찰을 꼼꼼하게 해야 하는데 수업 시간에 힘드니까 대부분 일회성 평가를 할 수밖에 없다. 교사 탓이 아니라 제도와 여건이 교사를 힘들게 한다.

교사의 권한은 사라지고 할 일은 많고 배우려는 학생이 학습 의욕을 높이는 데도 한계가 있다. 한마디로 대책이 없기에 내버려 둘 수밖에 없는 교실이다. 물론 교실 모두 다 그런 것 아니라, 현실을 하소연하듯이 하는 것이다.

연간 교육과정 계획을 하고 수업하다 보면 교실 상황에 따라 교사의 열정이 식는다. 중·고등학교 교사는 가르칠 내용이 많고 시험을 자주 보기 때문에 진도가 중요하다. 처음 발령받고 보통 30년~35년 이상 근무해야 퇴직하는 현실이다. 대부분 필요한 연수를 받고 꾸준하게 공부하며 가르친다. 전문성 개발과 학위까지 받는 교사도 증가하고 있다. 교수 학습 전문가로서 뛰어난 성장을 하는 교사도 있다.

토의 토론 수업은 좋은 방법이다. 교사가 준비하여 시도하지만, 학생들이 참여율 저조와 토의 토론 중 딴짓을 하고 있으니 힘들다. 한번 경험해 보면 다 안다. 그래서 대부분 강의식으로 할 수밖에 없다. 거꾸로 수업 마찬가지다. 좋은 수업인 줄 다 아는 데 수업을 연구하고 미리 영상 올리는 게 쉬운 일이 아니다. 미리 영상을 보지도 않고, 참여하지 않는 학생도 있다. 이런 경험을 많이 하면 교사의 열정이 식는다.

토의 토론 실습 발표 다 좋지만, 학생들의 참여가 낮다. 교사가 준비할 게 많은데 열정과 사랑, 체력이 버티는지 궁금하다.

교사는 교육에 대한 열정, 노력과 실천은 교직에 대한 긍지와 보람으로 사는 것이다. 현재 하는 일을 잠시 멈추고 이 일의 가치를 생각해야 한다. 나를 중심에 두고 학생을 바라보자. 나에게 집중하고 나를 자세하게 살펴보자.

저자는 기술 교사라 수업의 어려움보다는 예산 부족으로 기술 수업 즉 Learning by Doing 하기 힘들었다. 기술은 경험 중심 교육과정을 생각하고 만들기를 우선했다. 과거 기술실이 없던 시절엔 기술수업 후 교실이 지저분하고, 옆 반 교사는 시끄럽다고 하소연도 들었다. 지금은 예산 걱정 없이 수업하지만, 기술 수업 시간이 부족한 게 안타깝다.

나는 행복한가?

나는 이 일을 왜 하는가?

질문해 보자. 행복에 대한 기준은 나의 마음에 있다. 자아실현을 생각하면 마음이 달라진다. 내 일에 조급해하지 말고 조바심 내지 말고, 성숙함을 보여주고 잘할 수 있는 만큼 최선을 다하자고 다짐한다.

Just do it! I can do it!

티가 나는 교사의 열정에 관한 학교생활 이야기는 도서 『나는 교육실천가』 및 『나는 교육실천가 2』를 참고하기를 바란다.

물가2이면 물가린?

교사는 학생 사랑과 열정으로 가르치느라 노력한다. 자신감으로 학교에서 자랑스럽게 즐겁게 행복하게 지내고 싶다. 요즘엔 대부분 교사가 "학생 생활지도를 제대로 하기 어려워 힘들다"라고 하소연한다. 교권 침해가 발생하지만, 꾹 참고 넘어가는 교사도 많다.

학부모와 학생에 의한 교권(교육활동 권리) 침해 건수가 증가하는 추세다. 교사의 요구는 간단하다. 교사를 보호하려면, 교사의 요구사항인 아동 학대법이 개정되어야 한다. 아동 학대법을 교사에겐 법적·제도적으로 교사를 보호해야 학생을 제대로 가르치는 것이다. 아동 학대법은 학부모가 자녀 교육에서 자녀를 학대하지 말라는 취지였다. 수업 시간에 가르치는 교사에게 아동 학대라며 교사를 꼼짝하지 못하게 만들었다. 교사와 학부모의 관계가 상호 불신 쌓이는 교육 현장이 되었다.

학부모와 학생에게 민원의 대상이 되는 경우가 증가한다. 학부모와 학생은 교사를 신뢰하지 못한 상태가 되었다. 그렇지만 학생의 학교 일상 정보를 적극적으로 공유해야 한다. 학부모는 언제나 친절하게 대하되, 일정한 거리가 필요하다.

학생을 가르치다 보면 학교에서 이런저런 일로 마음이 상하고 스트레스받는 일이 생기지 않을 수 없다. 수업 방해하거나 친구를 괴롭히는 학생에게 좋게 대한다고 하지만 강하게 제지하는 경우가 있다. 서운한 말 한마디에 상처를 주기도 한다. 상처받은 마음을 두고 학생이나 학부모의 민원에 고통이다. 이런 일로 스트레스가 쌓이면 모두가 손해다.

학부모와 관계는 불가근 불가원해야 하는지 답답하기만 하다. 불가근불가원(不可近不可遠)은 '너무 가깝지도 않게, 너무 멀지도 않게 하라'는 뜻으로, 중용(中庸)의 의미와 같다. 특히 인간관계가 너무 친하게 지내면 도리어 그것이 서운한 점을 만들 수도 있고, 너무 멀리 지내면 정작 그 사람이 필요할 때 도움을 바랄 수 없기 때문이다. 상호관계를 오래 유지하려면 적당한 선이 있어야 한다는 말이다.[2]

교사가 사명감을 가지고 열심히 하는데 학부모의 지나친 간섭으로 열정과 사랑이 사그라지고 있다. 교사의 정당한 교육활동은 당연히 보호되어야 한다.

---

[2] 나무위키 불가근불가원
https://namu.wiki/w/불가근불가원

교사의 행복은 무엇인가?

사람들은 누구나 행복해지고 싶어 한다. 행복하게 살아야 하는 인생이다. 행복하게 사는 것은 누구나 누려야 할 권리이고 당연한 이야기이다. 개인의 행복이 천차만별이다. 더군다나 직업의 가치가 과거와는 다르게 크게 변화하고 있다. 삶의 가치도 매우 다양하게 변화한다.

행복하게 살려면 어떻게 해야 할까?

행복한 교사는 마음먹기에 달려있다. 현재의 희생과 봉사로, 미래의 희망인 학생을 가르치는 업(業)이다.

교사는 교육의 목적과 교육의 방법을 모두 알고 있지만, 제대로 실천하기가 힘들다. 교사는 대부분 청소년 시기의 개인 목표를 달성한 사람들이다. 교사가 되어 뜻을 펼치려니 현실에서 벽을 느끼며 지내는 게 학교 일상이다. 그래도 수업을 즐겁게 하면 나는 행복한 사람이다.

교육은 가르칠 게 많다지만 기본이 중요하다.

인류에 이바지하는 홍익인간의 이념과 가치를 실천하는 미래 인재 양성이 중요하다. 인성이 진짜 실력이 되는 시대이다. 교육기본법의 인간 세상을 널리 이롭게 한다는 의미를 되새기며 대한민국의 전인교육을 바르게 실천할 때이다.

교육기본법 제9조이다.

②항은 "학교는 공공성을 가지며, 학생의 교육 외에 학술과 문화적 전통을 유지·발전시키고 주민의 평생교육을 위하여 노력하여야 한다."

③항은 "학교 교육은 학생의 창의력 계발 및 인성(人性) 함양을 포함한 전인적(全人的) 교육을 중시하여 이루어져야 한다."이다.

과거와 현재 교육의 방식은 달라도 현재와 미래 교육의 목적은 인격이 올바르게 형성된 민주시민이다. 공정하고 공평한 세상이 되길 바랄 뿐이다.

교사의 행복한 학교생활은 미래 인재를 좌우한다. 행복한 세상을 바란다. 행복한 세상을 위한 교사의 길에 정답은 없다. 다만 정성을 다하면 좋은 추억이고, 스스로 만족한다.

행복은 하루아침에 달성되는 것이 아니지만 하루하루가 행복이다. 배워서 남 주는 인생에서, 인생이 끝날 때까지 행복하게 살아야 하는 인생이다. 교사의 보람찬 삶은 지금부터다.

교사는 교실에서 행복 찾는 일이다. 학교 일상에서 행복해야 한다. 행복은 일단 마음먹기다.

아리스토텔레스는"인간은 사회적 동물이다.", "행복한 생활은 덕에 의한 경우가 많다. 덕을 실천하는 사람, 덕을 생활 속에 베푸는 사람, 그런 사람에게 행복이 따른다. 행복해지고 싶거든 덕에 의한 생활 해라"라고 말했다.

행복을 도덕적인 생활로 베풀라고 한다. 올바른 마음가짐은 건강이고, 은혜를 베푸는 게 아름다움이다. 이처럼 덕을 베푸는 게 행복이라는 의미로 해석된다.

헤르만 헤세의 『행복해진다는 것』에서 "인생에 주어진 의무는 다른 아무것도 없다네, 그저 행복해지라는 한 가지 의무뿐….'이라고 했다. 행복은 생활 속에서 기쁘고 즐겁고 만족을 느끼는 상태이다. 행복은 누구나 마음먹기에 달려있다는 의미다.

'나는 행복합니다.' 외쳐본다.

행복한 세상이다. 행복한 삶은 내 마음이다.

맹자는 군자삼락(君子三樂)에서 세 가지 즐거움 중 "천하의 우수한 인재를 얻어서 그들을 교육하는 것이 세 번째 즐거움이다."라고 언급했다. 가르친다는 것은 교사의 즐거움이요 행복 찾기다. 가르침에서 즐거움을 느끼면 행복이 온다. 개인 맞춤형 시대의 행복은 자신의 가치관이 중요하다.

고경력 교사의 교육 경험은 한 세대를 아우르는 철학이 깃들어 있다. 초임부터 지금까지 수업에 대한 열정과 사랑으로 가르친 삶이다. 이런 경험을 모두 수록하지 못하지만, 간접경험 일부라도 제공하고자 만든 게 이 책이다.

1장 학교는 무엇을 가르치는가?

수석교사(首席教師)

　우리나라에는 각 학교에 교직원이 있다. 교직원은 교장, 교감, 수석교사, 교사, 행정직원이 있다. 초·중등교육법의 제20조 교직원의 임무를 살펴보자.

초·중등교육법의 제20조 (교직원의 임무)

① 교장은 교무를 통할(統轄)하고, 소속 교직원을 지도·감독하며, 학생을 교육한다.
② 교감은 교장을 보좌하여 교무를 관리하고 학생을 교육하며, 교장이 부득이한 사유로 직무를 수행할 수 없을 때에는 교장의 직무를 대행한다. 다만, 교감이 없는 학교에서는 교장이 미리 지명한 교사(수석교사를 포함한다)가 교장의 직무를 대행한다.
③ 수석교사는 교사의 교수·연구 활동을 지원하며, 학생을 교육한다.
④ 교사는 법령에서 정하는 바에 따라 학생을 교육한다.
⑤ 행정직원 등 직원은 법령에서 정하는 바에 따라 학교의 행정사무와 그 밖의 사무를 담당한다.

[전문개정 2012. 3. 21.]

우리나라 수석교사 제도 역사를 살펴본다.

1980년대부터 정부는 관리직 외에 우수 교사들의 보상책과 학내 장학을 위해 우수 교사를 따로 선발하는 제도를 준비해 왔다. 1981년 한국교육개발원의 '교원 인사행정 제도의 개선 방향 탐색'의 세미나에서 '수석교사'라는 명칭을 처음 사용했다. 이후 1987년 교육개혁 심의회의 '교육 발전 기본구상'에서 교육개혁 과제 중 하나로 수석교사제도의 도입 방안을 제시했다.

2003년 OECD 교육정책 검토단 권고사항은 다음과 같다.

> 한국의 교원제도는 우수 자원이 교직에 입직하고 안정적인 교육활동에 임할 수 있는 장점을 지닌 반면, 지속적으로 능력을 개발할 수 있는 기제가 부족하다.

OECD[3] 교육정책 검토단은 "우수 교사에 대한 지원과 보상에 대한 대책이 거의 없다"라는 의견이 있었다. "교사 모두가 승진하는 것도 아니며 교사 전문성 개발을 위한 정책도 없는 상황이었다."라고 밝혔다. 또한 "신규교사에 대한 연수와 수업 컨설팅이 미흡하다"라는 내용이 제시되었다.

---

3) 경제협력개발기구(經濟協力開發機構,OECD)는 세계적인 국제기구 중 하나이다. 회원국엔 민주주의와 시장경제가 제대로 안착된 선진국이 많은 편이다.

1장 학교는 무엇을 가르치는가?

교육부에서는 30년 만에 1981년부터 수석교사제도를 논의
했고, 2011년 '수석교사 제도' 관련 법안이 공포됐다. 수석교
사제도는 수석교사가 수업과 장학, 신규교사 지도 등을 맡도
록 한 제도이다.

　2008년 3월부터 2011년까지 4년간 수석교사를 시범으로
운영했다. 2011년 7월 25일 법률 제10905호 교육공무원법이
개정되어 법제화되었다. 2011년에 국회에서 수석교사제도 법
이 통과되어 2012년 수석교사 법제화를 시행하여 현재까지
운영하고 있다. 4)

　수석교사는 대한민국의 유·초·중·고등학교의 교사 중 수업
전문성이 뛰어난 교사들이 교감이나 교장 등의 관리직으로
승진하지 않고도 일정한 대우를 받고 교단에서 교직 생활을
할 수 있게 하며, 교원의 전문성 제고를 위해 도입된 제도이
다.

---

4) 『 위키피디아 백과사전, 수석교사 』
　　https://ko.wikipedia.org/wiki/수석교사

수석교사는 무엇을 할까?

수석교사 제도는 수석교사가 수업과 장학, 신규교사 지도 등을 맡도록 한 제도이다.

2011년 제정된 수석교사 제도의 목적이다. 수업 전문성을 가진 교사가 우대받는 교직 분위기 조성을 위해, 현행 일원화된 교원 승진 체제를 교수(Instruction) 경로와 행정관리(Manageme) 경로의 이원화 체제로 개편하려는 것이다.

그러나 제도의 미완성으로 지금까지 왔다. 앞으로 수석교사의 본질적인 목적이 되어야 우리나라 학교 수업이 제대로 정착되길 바란다.

수석교사는 수업은 공유하는 것이다. 일상 수업 나눔이 우선이다. 학생 참여형 수업과 수업 성찰로 교사와 학생의 성장을 지원하는 교실 수업 개선에 목적이 있다.

수석교사의 일상 수업 공개로 학생 참여형 수업에 대한 교사의 배움을 지원한다. 수석교사와 함께하는 수업 나눔으로 교원이 성장할 기회를 제공하는 것이다. 학교문화 확산에 집중할 수 있도록 적극적으로 지원을 바란다.

수석교사는 무엇을 할까?

교육부에서 제공하는 수석교사의 역할을 "수석교사는 무엇하는 선생님인가요?" 수석교사 영상이다.

수석교사 영상 교육부 TV
수석교사 무엇을 하는 선생님인가요?

[수석교사] 동영상 5) (교육부 TV)

2008년 시범부터 시작된 수석교사제는 수업 전문성을 가진 경력 교사를 수석교사로 선발하는 제도다. 수석교사는 현장 교육 전문가로서 학교 내에서 동료 교사의 수업과 연구를 지원하고 학생 생활지도, 장학, 컨설팅 등의 역할을 한다. 수석교사의 일반적인 역할이다.

하나, 수업 공개 및 교사의 교수·연구 활동 지원이다.
둘, 교수·학습 방법을 연구하고 보급하는 일이다.
셋, 교사의 자격연수 강의, 임용고시 심사, 교육정책 활동 컨설팅, 교사의 교육 연구대회 심사, 연구, 저술 활동, 기타 교육에 관한 역할 등을 지원한다.

---

5) 교육부 수석교사 무엇을 하는 선생님인가요?
　https://www.youtube.com/watch?v=9IBtvXo69AA

수석교사제 법제화는 미완성이다

2011년 6월 29일 30년 교육계 숙원 사업인 "수석교사제도"가 법제화되었다. 『초·중등교육법』·『유아교육법』·『교육공무원법』개정 법률안 국회 통과를 대대적인 언론홍보와 함께 보도자료를 배부했다.

2012년 교육과학기술부 보도자료 원문의 일부이다.

보도자료 2011. 6.29.(수)	교육과학기술부 Ministry of Education, Science and Technology 홍보담당관실 ☎

30년 교육계 숙원 사업,
수석교사제 드디어 법제화
-『초·중등교육법』·『유아교육법』·『교육공무원법』개정 법률안 국회 통과 -6)

□ 교육과학기술부(장관 : 이주호)는 2011. 6. 29(수) 국회에서 수석교사제도 도입 등을 골자로 하는 초·중등교육법, 유아교육법, 교육공무원법 개정안이 통과되었다고 밝혔다.

□ 수석교사제는 교육계에서 1981년부터 30여 년간 추진을 노력해 온 제도로, 수업 전문성을 가진 교사가 우대받는 교직 분위기 조성을 위해,

---

6) 교육부
https://www.moe.go.kr/boardCnts/view.do?boardID=294&lev=0&statusYN=W&s=moe&m=0204&opType=N&boardSeq=34572

○ 현행 일원화된 교원 승진 체제를

교수(Instruction) 경로와 행정관리(Manageme) 경로의

이원화 체제로 개편하려는 것이다.

2급 정교사⟹1급 정교사 ⟶ 수석교사　　　　　[수업]

　　　　　　　　　　　　⟶ 교　감　⟹　교　장　　[관리]

○ (우대 사항) 수업 부담 경감, 수당 지급 등 수석교사에 대해 우대할 수 있다.
○ (교장 자격 취득 등) 수석교사는 임기 중에 교장·원장 또는 교감·원감 자격을 취득할 수 없다. [7)]

수석교사제 시행과 앞으로의 과제의 내용이다.

첫째, "현행 일원화된 교원 승진 체제를 교수(Instruction) 경로와 행정관리(Manageme) 경로의 이원화 체제로 개편"하려는 것이다.

둘째, "수석교사 법제화를 통하여 교사 본연의 가르치는 업무가 존중되고, 동료 교사 멘토링·수업 컨설팅 등의 역할을 부여함으로써, 학교 수업의 질이 개선될 것이다"라고 밝혔다.

---

7) 교육부

우리나라 수석교사(首席敎師) 제도는, 1981년부터 30여 년간 교육계에서 추진하여 노력해 온 제도이다. 우리나라는 2012년부터 학교에 수석교사가 배치되어 시행되고 있다.

우리나라 초·중등교육법 제20조에 있는 수석교사의 역할 규정이다. "수석교사는 교사의 교수·연구 활동을 지원하며, 학생을 교육한다."라고 되어 있다. 수석교사는 수업과 신규교사·저 경력 교사 수업 컨설팅이 주 업무이고, 교수·연구 활동, 연수 학습자료 등을 제공하는 역할을 한다.

수석교사는 교사에게 교수·연구 활동을 지원한다. 교내·교외 교사에게 수업 공개와 수업참관 및 수업 컨설팅을 한다. "약은 약사에게, 진료는 의사에게"라는 문구가 생각난다.

수석교사 제도에 관한 사항은 도서 『수석교사 제도』를 참고하기 바란다.

2장

교실에서
좋은수업 길라잡이

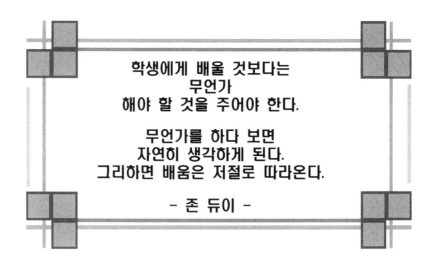

학생에게 배울 것보다는
무언가
해야 할 것을 주어야 한다.

무언가를 하다 보면
자연히 생각하게 된다.
그리하면 배움은 저절로 따라온다.

- 존 듀이 -

수업이란 무엇인가?

수업은 열정과 사랑이다.

수업은 학습목표 달성이다.

수업은 지식 전달이다.

수업은 상호작용이다.

수업은 기술이다.

수업은 성찰이다.

수업은 깨달음이다.

수업은 생명이다.

수업은 사명이다.

수업은 행복 찾는 삶이다.

수업은 예술이고 기술이다

　교사가 수업 시간이 중요하다. 매일 수업해야 하는 사명이기 때문이다. 수업은 가르친다고 다가 아니다. 학생과 상호 소통하는 것이다. 가르치는 방법도 중요하다. 수업은 기술이다. "수업은 그냥 하는 것이지!"라고 할 수 있지만, 수업에는 수업을 잘하는 기술이 중요하다. 가르치는 교수법을 말한다. 교수 방법이 수업 기술이다. 교사가 갖추어 실천해야 할 능력이기 때문이다. 그렇지만 교실의 환경은 다양하다.

　학생은 교사의 행동을 보며 배운다. 교사의 태도와 자세, 행동하는 모습을 통해 배운다. 교사의 적극적인 태도와 긍정적인 자세이다. 따라서 솔선수범이 중요하다. 평생 수업 시간에 실천해야 할 의무 사항이다.

　학교 수업 시간에 예절과 질서가 무너지는 교실 환경은 교사를 힘들게 한다. 따라서 학생들의 입장을 고려한 수업을 꾸준히 연구해야 한다. 그래서 교사는 고달프다. 가르치는 데 정답은 없다. 다만 정성이 있을 뿐이다. 이는 수업의 달인이 되는 비법이다.

메라비언 법칙이다.

"상대와 대화를 하면서, 상대의 인상을 정하는 데 영향을 미치는 부분에서 대화의 내용이 7%고, 상대방의 목소리는 38%며, 상대방의 표정과 태도가 55%로, 목소리에서 느끼는 청각과 모습에서 느끼는 시각을 빼면 말의 내용에서 느끼는 것은 겨우 7%에 불과하다는 법칙이다. "8)

즉, 인간은 타인과 대화를 나눌 때, 대화의 내용보다는 그걸 뒷받침하는 시청각적 요소의 영향을 매우 많이 받는다는 점이다.

교사는 수업 시간에 하는 언어에도 좋은 말, 격려하는 말, 지지하는 말, 위로하는 말, 인정하는 말의 중요성도 강조한다. 교사의 태도와 자세는 학생에게 보이는 또 다른 교육의 본보기다. 몸동작과 언어적 표현을 올바르게 실천하는 게 평생 수업 시간에 지켜 실천해야 할 의무 사항이다.

공감한다는 것은 믿음과 신뢰를 준다. 기쁨과 슬픈 표현이다. 수업을 마치면 감사하며 감동하거나 감격한다면 감탄하는 일이다. 교사는 학생에게 관심 두고, 사랑하는 게 행복한 학교생활의 기본이다.

---

8) 나무위키 메라비언 법칙
   https://namu.wiki/w/메라비언 법칙

2장 좋은 수업을 위한 길라잡이

수업 시간은 함께 질문과 토론, 소통하고 대화하는 장소다,

수업 시간에 수업에 관심 없는 학생이 많아지고 있다. 교실의 학생들은 주의집중을 안 하거나 딴짓한다. 교사 말에 집중하지 않는다. 누군가는 교사가 학생 통제도 못 하느냐고 할 수도 있다. 그런다고 화내거나 혼낸다고 해결되면 다행이다. 아동 학대라고 신고한다며, 오히려 교사에게 대든다.

"조용히 해, 잘 들어야지" 교사는 오늘도 외치고 있다. 행동이 따로따로 인 학생이 걱정이다. 학생들은 수업 시간 집중해야 한다. 대다수 학생은 수업에 적극적인 참여를 하지만, 일부 몇몇 학생이 수업 분위기를 흩트려 놓는다.

수업에는 가르쳐야 할 성취 기준이 존재한다. 학생들이 집중 못 하니 도움을 주고자 다양한 기법을 활용한다. 어떤 교사는 마술을 배워 호기심도 유발하고 유튜브, PPT, 학습지 등 각종 자료를 준비하여 활용한다.

초·중·고등학교에서는 이해력과 기억하는 능력, 자기 주도적인 학습 능력 중요하다. 토의 토론, 탐구 학습도 경험해야 한다. 이를 잘하도록 역량을 함양하는 수업을 권장한다. 배워서 남 주는 삶이 너무 고달프다. 평생 수업을 하는 삶이다. 수업이 다가 아니고 시험문제 출제하고 평가한다. 학교 시험이 마치면 생활기록부에 기록하는 글쓰기 능력도 뛰어난 존재가 되고 있다.

디지털 교과서 및 인공지능(AI)도 활용한다. 가르치는 교수 방법도 익히며 IB 역량도 함양한다. 요즘의 교사는 만능이 다 되어가는 세상이다.

IB(International Bacalaureat)는 국제바칼로레아 기구에서 개발하여 운영하는 국제표준 교육과정이자 대입 시험이다.

지금은 제주, 대구 등 일부에서 시·도 교육청에서 활용되고 있지만, 앞으로는 모든 시·도 교육청에서 추진할 것이다.

2부 좋은 수업 길라잡이

수업의 달인되기

교육 방송(EBS)에서 다큐멘터리 『왜 우리는 대학에 가는 가?』 제작팀이 하브루타 관련한 공부법에 관한 내용이다.

이스라엘의 하브루타로 서로 읽고 토론하고 설명하는 학습 관련 실험을 했다. 실험 내용은 20여 명의 대학생을 두 팀으로 나누어 한 팀은 혼자서 역사책을 공부하도록 했고, 다른 한 팀은 둘씩 짝을 지어 공부하게 했다. 혼자 하는 조용한 공부방과 말하는 공부방의 차이점 학습 내용과 시험문제를 해결한 결과이다.

3시간이 지난 뒤 두 팀의 학생들을 한자리에 모아 시험을 보게 했는데 시험 결과는 놀라웠다. 짝을 지어 공부한 학생들의 점수가 혼자 공부한 학생보다 두 배 정도 높았다. 혼자 공부한 학생은 열심히 책을 봤지만, 아는 내용과 모르는 내용을 구분할 기회를 얻지 못했다. 그에 비해 짝과 공부한 학생은 짝에게 내용을 설명하다가 막히는 부분에서 자신이 그 부분을 잘 모른다는 것을 알아차릴 수 있었다.

말하는 공부방에서는 설명하며 가르치는 공부법이 학습에 효과적이라는 사실이 연구로 증명되었다. 이해한 내용을 말로 설명하면서 핵심을 파악하고 논리적으로 정리하는 능력이 향상된다. 게다가 단순 복습할 때보다 머릿속에 장기기억으로 남는다. 읽고, 듣고, 말하고, 생각하는 하브루타는 '진도'만을 강조하는 우리 교육을 돌아보게 한다.

하브루타는 속도보다는 깊이를 강조한다. 또 하브루타는 주체적으로 학습하는 대표적인 방법이다. 배움의 주체가 되느냐 객체가 되느냐에 따라 결과는 엄청나다. 주체가 되어 다른 사람과 토론하는 동안 생각과 생각이 부딪치면 창의력이라는 불꽃이 튄다. 창의력은 관계에서 나온다. 하브루타의 핵심은 '관계'다. 미래 사회는 협력하는 능력이 필요하다. 친구와 토론하며 함께 공부하면 그 결과도 함께 나누게 된다.[9]

수업의 달인 되는 길이다. 수업에선 큰 주제나 핵심 개념과 배워야 하는 이유를 먼저 설명한다. 교사와 학생, 학생과 학생이 질문은 상호작용이다. 서로 가르치기는 학습 효율성을 극대화하는 방법이다. 수업기술은 관계가 제일이다. 수업 시

---

9)《새내기 교사론》, 정일화, 한국학술정보, 2020.

2부 좋은 수업 길라잡이

간 수업 방법은 교사의 열정보다 학생들의 관심이 제일이다. 학생들이 참여하도록 질문하고, 의견을 존중하는 태도이다. 물론 칭찬과 격려는 항생들과 신뢰감을 형성한다.

수업의 달인은 자신감 있는 목소리와 적절한 속도, 모든 학생에게 시선을 주는 행동을 잘한다.

칭찬은 어떻게 할까?

학생에게 칭찬과 격려는 교사가 갖추어야 할 기본이다. 지금까지 학교에서 칭찬을 싫어하는 학생을 보지 못했다. 수업 중 적절한 칭찬과 인정은 학생들과 관계가 좋게 형성되는 방법이다.

조금이라도 잘한다면 칭찬과 격려를 한다. 지나친 칭찬보다는 구체적인 칭찬이다. 어려운 과제의 경우 이를 해결하기 위한 노력 또는 성공을 인정해 준다. 학습 결과보다는 수업 중 노력하는 과정을 개인적으로 주어지는 것이 효과적이다.

수업 방법에도 문제가 있다. 맞춤형이 좋다지만 학생들 수준이 다르기 현실성이 떨어진다. 교사의 눈높이가 너무 높으면 낮추는 게 상책이다. 교사 수준으로 학생을 교육하면 탈이 나게 마련이다.

요즘 학교 수업은 교사가 정한 목표로 진도 나가는 게 대부분이다. 이를 위해 교육과정을 재구성한다지만 교사 중심 교육과정이다. 전시학습에서 부족한 것을 학습 목표 달성을 위해 노력하지만, 학생들의 실태 파악은 거의 없다.

수업을 통해 가르치려고 하는 것은 교육과정의 교과 지식이 대부분이다, 교과서를 가르치지 말고 교과서로 가르치라는 말이 생각난다. 그렇지만 요즘 수능 입학시험이 대세인데 그럴 수 있을까? 수능에 얼마나 도움이 되었는가를 기준으로 평가하려고 한다. 교육과 수업이 확실하게 구분되는 학교 현장이다.

가치관 교육은 언제, 어떻게 할까?

교사는 각자 삶의 경험 속에서 추구하는 가치가 있다. 가장 중요한 게 홍익인간의 이념이다. 인간 존중과 사랑이다. 사회성교육이나 가치관 교육은 수업 시간, 조례, 종례 시간이다. 학생의 문제행동 바르게 이해하고 인정하고 상담한다. 학생에게 관심을 두고, 관찰하고 긍정적 행동을 발견하고 지지한다. 조례 종례 시간에 비언어적 표현도 중요하다. 비언어적 표현 방법을 잘 익혀 활용하자.

2부 좋은 수업 길라잡이

수업은 교사와 학생의 상호작용이 제일이다. 서로 묻고 답하며 대화하는 행동이다. 대화하려면 소통이 우선이다. 소통이 안 되면 고통이다. 두통이 온다. 학생을 이해하고 인정하고 조건 없는 사랑이다. 못하는 것을 잘하도록 가르치는 일이다. 교사는 학생을 사랑하는 게 제일이다.

소크라테스는 "지식과 덕은 하나다. 따라서 덕은 가르칠 수가 있다. 그러므로 덕은 모든 사람의 목표이어야만 한다."라고 강조했다. 올바름을 뜻하며 도덕을 강조하는 말로 해석된다. 사회적인 규범을 알고 잘 지키는 것이 예절이고 질서고 규범이다. 덕의 목표는 인격 형성이 출발이요, 고마운 마음을 아는 것이다.

지금의 교육을 생각해 보자.
학교 교육이 학생 개인의 탓일까?
학교의 탓일까?
국가 교육 제도의 탓일까?

세상은 나로부터 시작된다. 이제 나를 바로잡고 나를 돌아봐야 한다고 다짐한다. 교육은 홍익인간의 이념을 실천하는 것이다.

좋은수업, 나쁜수업, 괜찮은 수업

학생에게 묻는다. 누구를 위한 수업인데….

모르면 제대로 잘 배우라고 외친다. 수업한다는 것은 중요한 일이다. 그래서 가르치기가 제일 힘들다.

어떻게 수업하느냐가 고민이다.

왜 가르치는가?

무엇을 가르치는가? 라는 말이 가장 중요하다. 무엇을 가르치느냐가 진짜 중요하다. 학교는 수업이 생활이고 교사는 수업이 삶이다. 교사는 누구나 수업을 똑바로 하고 잘하고 싶다. 다만 학생이 수업 시간에 똑바로 배우고 있지 않기 때문에 문제다. 모든 학생이 다 그러하지는 않다.

교사는 수업을 좋아할까?

학생을 잘 가르치기 위해서 수업은 어떻게 해야 할까?

수업은 교사의 평생 업(業)이다. 수업 시간에 무엇을 가르칠까. 핵심역량을 함양하도록 가르치느냐, 교과 역량을 함양하도록 가르치느냐, 시험문제 나올 내용을 가르치느냐이다.

2부 좋은 수업 길라잡이

좋은 수업이란 어떤 수업일까?

수업을 좋아해야 한다.

수업을 잘해야 한다. 교사 중에는 정말 수업을 잘하거나 좋아하는 선생님이 많이 있다. 수업 연구하는 것을 좋아하고, 수업 자체를 행복하게 생각하고 수업하는 선생님도 드러내지는 않지만 많다.

수업은 가르침과 배움의 시소게임이다. 학생과 함께 하는 상호작용이다. 학교 업무가 바쁜 핑계로 보면 수업이 진도 나가기에 급급할 때도 많다. 교사는 연초 계획한 성취 기준과 교과 내용을 가르치며 역량을 발휘하는 삶이다.

수업 시간 학생 성장에 관심이 있다면 요점 정리하는 방법을 알려준다. 요점 정리는 스스로 하면 정리된다. 교사가 요점을 정리하여 프린트 나누어주면 교사가 성장하는 것이고 학생에게 요점 정리를 시키면 학생이 성장하게 된다.

수업의 상황이 천차만별이다. 같은 내용의 수업도 상황에 따라 다르게 전개된다.

교사의 주 업무는 수업이다. 수업에는 좋은 수업 나쁜 수업의 명확한 정의는 없다. '학생에 이로운 수업이 좋은 수업이고, 학생에게 해로운 수업이 나쁜 수업이다.'라고, 생각한다.

좋은 수업은 "역량 함양과 인간 됨됨이를 가르치는 수업이다."라고 강조하고 싶다. 좋은 수업은 나쁘지 않은 수업을 말한다. 좋은 수업을 하려면 좋은 수업이 무엇인가 생각을 많이 하고 연구하고 궁리해야 한다. 학습 격차를 줄일 방법을 연구한다.

좋은 수업이란 어떻게 하는 수업인가?
학생들은 수업 시간 무엇을 원할까?
학생들은 좋은 수업을 어떻게 판단할까?
나쁜 수업이란 무엇인가?
교사는 수업하는 게 점수 높이는 것이 목적인가?
수업의 정석은 무엇일까?

수업은 보통 도입, 전개, 정리 및 형성평가로 한다.
교사는 다 알고 있고 모두 실천하며 수업한다. 다만 시간이 부족하여 수업을 마치면 형성평가를 제대로 하지 못한다. 이유는 수업 시간의 부족이다. 형성평가 제대로 잘하면 완전 학습이 될 가능성이 크다.

2부 좋은 수업 길라잡이

학생들이 제대로 듣고 잘 따라주면 시간이 충분한데, 일반 교실에선 하나하나 질문에 대답하고 차근차근 가르치다 보면 시간이 늘 부족해서 진도 나가기에 급급하다. 또한 학력의 차이가 커서 설명하다 보면 시간이 부족하다.

수업시간 형성평가는 어떻게?

수업 시간에 형성평가는 완전 학습의 지름길이다.

형성평가 방법은 다양하다. 마인드맵 작성하기, 질문하기 & 문제 만들기, 비주얼싱킹 작성하기, 빙고 게임, 퀴즈, 디지털 기기 사용 발표하기, 온라인 평가하기 등…. 이론과 만들기 수업을 하면서 형성평가를 하기가 쉽지 않다.

교사는 국가 교육 과정의 성취 기준을 가르쳐야 하는 의무가 있다. 교사는 진도 계획에 의해 수업하고 학생은 배운 내용을 이해하고 외우고 시험을 본다. 학생들은 높은 점수를 얻기 위해 공부한다. 무엇보다 시험성적 점수를 얻기에 도움이 되는 수업을 희망하는 경우가 많다.

좋은 수업이란 무엇일까?

교사에게 있어서 수업은 중요하고 교사의 보람은 수업 성공에서 찾아야 한다. 수업은 하면 할수록 경험이 생긴다. 수업은 반복이요, 융통성이요, 아이디어 싸움이다. 교사는 진도를 생각하고 학생은 시험성적을 생각한다. 수업하면서 번뜩이는 수업 방법도 생각나고 요령도 생기고, 하지 말아야 할 것을 터득한다. 해야 할 것을 제대로 하기 위해 집중도 한다.

수업 시간에 학생들에게 교과 지식을 가르쳐야 한다. 교과 지식과 생활지도를 함께 가르친다. 수업 중 격려와 지지, 인정과 칭찬을 하며 수업을 이끌어 간다.

수업기술은 교사가 갖추어야 할 기본이다. 단 교과 지식도 중요하지만, 삶에서의 규칙과 질서, 예절도 중요하다. 수업 중 학생의 태도가 좋지 않으면 생활지도 해야 한다. 수업 시간 잔소리를 하면 진도 걱정도 되기에 잔소리를 안 하게 된다. 그러면 수업 시간이 질서가 잡히지 않는다. 교사는 그야말로 진퇴양난이다. 이게 바로 교직의 전문성이고 자존심이다. 그래서 "경험이 인생의 스승이다."라고 한다.

수업 시간에 토의·토론학습, 모둠학습, 발표학습, 협력학습 준비하고 관찰하고 기록하느라 힘들다. 수업 방법을 서서히 바꾸어야 한다. 수업의 목적은 학습 목표 달성이요 학생들의 역량 함양이다. 형성평가는 완전 학습이다.

  수업은 시험 평가와 직결된다. 교과 가르치면서 정해진 내용 진도 나가고 시험 보고 학생 평가하고, 학교생활기록부에 기록해야 한다. 과거엔 1년에 한 번 기록했는데, 요즘엔 일년에 학기별로 두 번이나 기록한다. 교사가 너무나도 바쁘다. 자율활동, 봉사활동을 창의적 체험 활동, 스포츠 활동 모두 입력해야 한다. 학생동아리 활동도 기록해야 한다.

  한국학교컨설팅연구회 도서 『수업컨설팅 좋은 수업의 조건 5G』에서는 좋은 수업의 판단 기준을 짜임새 있는 수업 설계, 효과적인 의사소통과 학생의 적극적이고 즐거운 참여와 상호작용을 바탕으로 수업 내용의 이해와 성장이라고 언급했다.

  좋은 수업 여러 가지로 언급된다. 좋은 수업은 알기 쉽게 설명하는 것이다. 지식을 습득하고 기억하고 이해하는 수업이다. 문제를 탐구하고 조사하여 발표하는 수업이다. 무엇인가 표현하고 만드는 수업이다. 학생 모두 참여하는 수업이다. 좋은 수업은 교사와 학생이 서로 존중하는 수업이다.

학습 피라미드는 다양한 방법으로 공부한 다음에 24시간 후에 남아있는 비율을 나타낸다. 그래프를 보면 수동적인 학습이 대부분인 강의식 교육과 능동적인 학습의 토의 토론, 체험, 서로 가르치기는 의미하는 바가 크다.

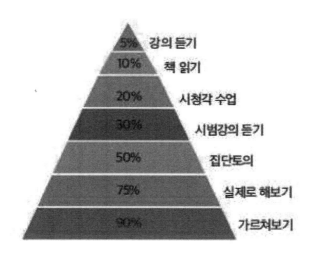

강의 듣기는 5%, 읽기는 10%, 시청각 수업은 20%, 시범이나 현장 견학은 30%의 효율성을 갖는다. 집단토론은 50%, 직접 해보는 것은 75%, 다른 사람을 가르치는 것은 90%의 효율성을 갖는다. 친구와 토론하고 직접 체험하는 소통의 공부가 90%의 효율성을 가진다. 친구와 토론하면서 서로를 가르치고 서로에게 배우는 최고의 공부 방법이다. 10)

10) 한국교육신문
   https://www.hangyo.com/news/article.html?no=83823

좋은 수업은 학습 목표 달성이 기본이다. 수업 시간 학습 목표는 중요하다. 모르는 것을 배우기 위해 학교에 가는 것이다. 좋은 수업은 준비하는 수업이다. 학생은 수업에서 지식을 이해하고, 올바른 태도를 함양하고, 성장해 가는 삶이다. 수업 시간 다양한 경험을 제공하는 창의적인 학습이다. 모르는 것이 있으면 수업 중간이라도 언제든지 선생님께 질문하는 수업이다. 최선을 다해 설명하고 질문하는 수업이다.

교과서를 제대로 읽는 게 중요하다. 폭넓은 독서를 해야 교과서 내용을 쉽게 이해된다. 책을 읽는 행동은 입력이다. 출력은 이해하고 다시 끄집어내는 내 머릿속의 지식이다. 따라서 독서의 중요성은 아무리 강조해도 모자람이 없다. 출력하는 행동은 글쓰기다. 글쓰기는 모든 배움의 결과를 쏟아내는 지식이다. 책을 읽고 글을 쓰는 행동은 공부의 기본이 된다.

수업과 학습 목표는 바늘과 실이다. 또한 형성평가는 함께 해야 학습 효과가 크다. 학습 목표 쓰는 게 무슨 대수냐? 라고 할 수 있지만, 수업의 방향과 목표이다. 수업 마무리 시점에 형성평가는 완전 학습을 유도하는 것이다. 이를 수업 시간에 반드시 지킨다면 평생 행복하고 유능한 교사 되는 지름길이다. 좋은 수업은 학생의 능력을 함양하는 수업이다.

좋은 수업을 위해 교사는 늘 연구하고 있다. 수업 시간 가르치는 사람과 배우는 사람 간에는 상호작용이 중요하다. 그리고 학생 스스로 할 수 있는 학습에 필요한 시간의 양을 늘리는 것은 필요하다. 학생들끼리 상호 간 협력하고 상호작용하는 수업도 중요하다.

배우는 것이 재미있고 가치가 있다는 것을 알려주어야 한다. 공부야말로 자산이고, 능력이고 실력이다. 공부하는 습관은 평생 중요하다. 수업 시간에 공부하지 않으면 어떻게 되겠는가? 지속해서 알려주어야 하는 게 좋은 교사이다.

좋은 수업은 3가지를 포함한다. 수업의 맛과 멋, 아름다움이다. 흥미 있는 수업, 재미있는 수업이며 의미가 있는 수업이다. 수업 시간 지식 전달에만 의존할 것이 아니라 기능과 태도를 함양하는 것이다. 학생들의 잠재된 창의성을 끄집어내는 수업을 만들기 위해 다양한 학습이 필요하다. 강의, 실험 실습, 게임, 발표, 체험, 메이커 활동, 협동하는 수업 등 연구하고 노력해야 한다.

좋은 수업만 있는 것은 아니다

세상에 나쁜 수업은 없다. 다만 좋지 않은 수업이 있을 뿐이다. 그렇다면 구체적으로 어떤 수업일까?

정답만 강조하는 수업일까?

개인적으로는 이것이 가장 좋지 않은 수업이라고 생각한다. 정답을 찾으려고 수업하는 게 아니다. 그렇지만 요즘의 수업은 정답을 찾는 교육이 대세다. 특히 고등학교 일부 수업 시간이 그렇다. 대학 입학의 기준이 되는 수능시험 점수가 중요하기 때문이다. 수능 점수 높이려는 방법을 수업한다. 인성교육을 할 시간이 부족하다.

사고력을 신장하는 수업을 해야 한다. 누굴 탓하랴 어찌할 수 없는 상황이다. 오늘도 외친다. 오늘도 무사히.

이상한 수업이란 무엇인가?

이상한 수업은, 아무 가치 없는 수업이다. 인성교육도 아니요, 핵심역량이나 교과 역량 함양도 아닌 수업이다. 정답 맞히는 수업도 아니다. 아무 의미 없는 시간 낭비 수업이다.

좋지 않은 수업의 유형이다. 교사에게 먼저 살펴보자. 교사의 목소리가 작아 잘 안 들리는 수업, 교사 혼자 진도 나가는 수업, 배운 내용의 정리가 안 되는 수업 등이다. 이런 수업을 한다면 교사는 수업 개선을 위해 부단한 노력이 필요하다.

수업 시간에 떠들거나 장난치는 모습을 보면 참게 된다. 이를 반복하게 되면 참다가도 화를 낸다. 교사인 내가 현재의 학생들 상태가 불만이다. 학생 인권이 버릇없는 학생을 만든다. 내 마음에 안 드는 경우다. 마음은 항상 변하게 마련이다. 어느 날은 괜찮다고 오늘따라 더욱 화가 난다.

화는 참는 게 보약이다.

당연히 교사도 사람이나 감정이 있고 화가 날 수 있다. 이럴 땐 참아야 한다. 참는데도 방법이 있다. 숨을 들이마시고 현장을 잠시 이탈한다. 또는 현재 상황을 한 줄 글쓰기 한다. 이유를 수업 마치고 간단하게 적는다. 나를 생각하고 학생을 생각하는 시간이다. 이게 습관 되면 나중에 글감의 재료가 된다. 화나는 이유를 분석하고 평생 대처하는 방법이 교사의 수업 전문성이 향상된다. 나를 성장시키는 방법의 하나이다.

2부 좋은 수업 길라잡이

화나는 교사를 보고 학생들은 어떤 반응일까?

화를 내면 학생 스스로 반성할까?

내 마음의 상태가 안 좋거나 힘들면 화를 자주 내게 된다. 누구나 정식적으로 육체적으로 피곤하면 짜증을 내기 쉽다. 영양을 보충과 여행하거나 명상을 습관화하면 좋다. 충분한 휴식을 취하는 게 상책이다. 커피나 술과 담배로 해소하지 말고 쉬는 게 약이다.

완벽주의 교사나 일 중독인 교사들은 하는 일은 참 잘하는데 교실에서 학생들과 마찰이 많다. 이유 중의 하나가 신체적인 피로도가 가중되기 때문이다. 이럴 땐 휴식이 제일이다.

학생들의 행동에 용서가 때로는 약이 되는 예도 있다. 교사인 내 마음이 편해진다. 그렇다고 잘못을 모른척하는 게 아니라 정도가 지나치면 그때그때 수업 후 불러서 차분하게 부드럽게 상담하며 교육한다.

세상을 보는 눈은 숲과 나무를 관찰하는 일이다. 숲은 교육 제도이고 나무는 수업이다. 나무를 아무리 잘 가꾼다 한들 숲이 망가지면 어떻게 되겠는가? 학교에서 중요한 문제를 그냥 내버려 두고 교사에게 수업을 잘하라고만 한다면 교사의 설 자리는 없게 된다. 입시 제도를 바꾸고 교사에게 권한을 강화해야 진짜 교육이 빛을 보게 될 것이다.

교사도 완벽한 인간이 아니다. 불완전한 존재다. 나이 먹은 고경력 교사도 마찬가지다. 자신의 한계를 인정해야 한다. 완벽한 교사도 없고 다 아는 교사도 없다. 자존감이 높아야지 자존심이 높아서 되겠는가? 우월감과 열등감이 있다면 의기소침하게 된다.

교사도 실수와 잘못도 한다. 이를 깨닫고 마음을 비우고 성숙해지는 것이다. 내 마음의 상태를 누군가 털어놓고 상담하면 후련해진다. 특히 전문상담가나 성직자에게 도움을 청하는 게 좋다.

수업 시간 가르치는 소리는 좋은 소리다. 체벌이나 벌점을 주는 시대는 어제고 지금은 잔소리의 시대이다. 잔소리하는 교사는 훌륭한 교사다. 학생 생활지도를 꾸중이나 잔소리 말고 무엇으로 할 것인지 걱정만 한다. 가르친다는 것은 교사의 평생 업(業)이다. 교육의 궁극적인 목적은 학생을 바른길로 인도하는 것이다.

2부 좋은 수업 길라잡이

괜찮은 수업은 무엇인가?

괜찮은 수업은 무엇인가?

'모든 게 괜찮다.' '지금 괜찮아요.' '좋아요' 괜찮다는 말 참 좋은 말이다. 괜찮은 수업은 무엇일까? 이를 바꿔서 어떻게 수업하는 것이 바르게 하는 수업인가? 괜찮은 수업은 나름대로 정의한다.

괜찮게 수업하는 것이다. 바꿔본다. 괜찮은 수업은 올바르게 하는 것이다. 괜찮은 수업은 즐거움과 재미있는 수업이다. 제대로 하는 수업이다. 앞에 한 글자 붙인다. 똑바로 하는 것이다.

효과적으로 가르치는 방법은?
무엇을 똑바로 가르칠까?

가르침은 교사의 몫이고 탓이 된다. 학생들이 똑바로 배우지 않는 경우가 많다. 이러한 학생을 연구하자. 생각이 깊어지면 해답이 나온다. 선생님은 많아도, 교사는 많아도, 스승이 별로 없다고 한다. 수업에 철학이 있는 교사이길 노력하고자 한다.

팬찮은 수업이란?

수업 시간 내 눈의 좋은 위치는?

교사의 시선 처리 어떻게 할까?

시선 처리는 학생들 눈 골고루 쳐다봐야 한다. 도리도리이다. 그렇다고 자꾸 반복하면 어색하고 이상하다. 앞에서 뒤로, 왼쪽에서 오른쪽으로, 가운데 모서리 곳곳을 천천히 교실 학생을 쳐다본다. 쉽지 않지만, 수업 시간 시선 처리를 적절하게 하는 게 팬찮은 수업을 위한 방법이다.

한번 시도해 보자. 시작. 천천히 의식하는 게 중요하다. 어떤 교사는 잘하는 학생만 쳐다보고 수업하는 때도 있다. 적극적인 학생에게만, 맞장구치듯이 하는 학생에게만 시선이 간다. 이는 좋은 방법이라 할 수 없다. 왜냐하면 한 명 한 명 모두 소중하기 때문이다. 어쩌다 수업 시간 쳐다보기 싫은 학생도 있겠다. 그러면 마음이 불편하다.

교실을 순회해야 한다. 몇 번 정도 정확한 규정은 없다. 알아서 적절하게 수행한다. 천천히, 빠르게, 상황에 따라, 적절하게 한다. 어느 교사는 교탁이 서 있으면 종 칠 때까지 교탁을 맴도는 경우도 가끔 본다.

2부 좋은 수업 길라잡이

교실을 주기적으로 순회하면, 딴짓을 적게 하고, 수업에 참여시킬 수 있는 좋은 방법이 된다. 특히 모둠별 학생 활동 수업할 때 순회하면서 관찰하고, 학습이 느린 학생에게 피드백하면 효과적이다.

괜찮은 수업은 형성평가를 하는 수업이다. 형성평가는 수업 시간에 한다. 형성평가는 학생에게 피드백을 주고, 교육과정을 개선하며, 수업 방법을 개선하기 위해 실시하는 평가다.

매 수업 시간 형성평가 시행하여 학습의 극대화가 이뤄지도록 해야 하는 것이 중요하다. 괜찮은 수업은 형성평가하는 수업이다. 완전 학습을 유도하고 학습의 격차를 줄이는 데 효율적인 방법이다.

좋은 수업은 관찰자의 초점이 중요하다.

교사인가?

학생인가?

교육 내용인가?

수업은 생명이요 사명이다

시험을 위한 수업 시간이 지속되면 좋을까?
정답 찾는 수업 시간이 되면 역량이 향상될까?
어떻게 하면 수업을 잘할 수 있을까?
좋은 수업이란 무엇일까?
수업의 정석은 무엇일까?
학생들은 예습이나 복습을 제대로 할까?

수업은 보통 도입, 전개, 정리 및 평가로 한다.

교사는 다 알고 있고 모두 실천하는 삶이다. 다만 시간이 부족하여 수업을 마치면 형성평가를 제대로 하지 못한다. 이유는 시간의 부족이다. 형성평가 제대로 잘하면 완전 학습이 될 가능성이 크다.

학생들이 제대로 듣고 잘 따라주면 시간이 충분한데, 일반 교실에선 하나하나 질문에 대답하고 차근차근 가르치다 보면 시간이 늘 부족해서 진도 나가기에 급급하다. 또한 학력의 차이가 커서 설명하다 보면 시간이 부족하다.

형성평가는 완전 학습의 지름길이다. 형성평가 방법은 다양하다. 이론과 만들기 수업을 하면서 형성평가를 하기가 쉽지 않다. 성취 수준에 도달되는 수업, 역량 강화가 되는 수업을 연구하고 실천하자.

수업을 마치면 실패나 실수한 수업이라고 할 수 있는 때도 생긴다. "괜찮다." "당연하다."라고 생각해야 한다. 누구나 수업하다 보면 아쉽고 잘못 가르치는 경우가 발생한다. 즉시 시인하고 교정하면 된다. "아하 내가 잘못했구나!, 미안하구나!" 하면 된다.

학교는 실수와 실패가 당연한 삶이다. 자라면서 모든 게 성공적일 수 없는 게 교육이다. 학교는 이런 실패나 실수를 격려하고 지지하는 문화가 중요하다. 이를 위해 교사가 실수와 실패를 학생들에게 괜찮다고 격려해야 한다.

"한 번 실수는 병가지상사(兵家之常事)"라는 말이 있다.

병가지상사(兵家之常事)는 병가(兵家)에서는 항상 있는 일이란 말로, 어떤 실수나 잘못을 흔히 있을 수 있는 일로 가벼이 여길 때 주로 쓴다. 어떤 일이든 잘못이나 실패를 할 수 있는 것이 세상사다. 실수하며 살아가는 게 인간의 삶이다. 실수 한 번 정도는 너그럽게 봐주자란 의미다. "실패는 성공의 어머니"라는 말도 마찬가지다.

실패를 통해서 약점을 알아내어 보완하는 식으로 나아가면 성공에 가까워지기 때문이다. 실수나 실패는 당연하게 받아들이는 아량이 필요하다. 교사도 실수한다. 이를 극복하는 방법이 더욱더 중요한 것이 학교 교육이다.

매년 10월 13일은 핀란드에서는 실패의 날을 운영한다.

'세계 실패의 날'이다. 세계적인 창업 강국인 핀란드에서 2010년 시작한 날로 각국에서 창업을 꿈꾸는 학생, 교수, 기업인 등이 한자리에 모여 각자 실패 경험을 털어놓고 서로의 실패를 위로하며 격려한다. 실패를 두려워하지 말자는 것이 아니라 피할 수 없는 실패를 어떻게 극복할지를 논의하는 게 중요하다.

교사는 수업이 생명이요 사명이다.

수업이 완벽할 수는 없다. 교사가 조금 적게 가르치면서 수업의 효과를 나타낼 방법은 없을까? 궁리하는 게 수업 연구이다. 적게 가르치고 많이 공부하는 방법을 동료 교사와 함께하는 삶이다. 수업의 성공과 실패를 추정할 수도 없고 측정도 안 된다. 따라서 피할 수 없으면 즐기라는 말처럼 수업을 즐겁게 해야 행복하다.

2부 좋은 수업 길라잡이

교사는 수업 과정에서 학습자를 존중하는 마음이 제일이다.

학생과의 관계가 좋으면 모든 게 해결된다. 수업 혁신은 교사의 학습자 존중에서 출발해야 한다. 인정하고 지지하고 칭찬하는 일이다. 교사의 마음에 안 드는 게 당연한 일이다. 미성숙한 학생인데 제대로 잘할 리 만무하다. 이를 가르치는 게 교사다. 지금 잔소리해도 지금 당장 고쳐지지 않는다.

교육은 오랜 시간이 걸리고 인내하는 기다림이다. 수업에 적극적으로 참여하게 하는 수업을 연구하는 것만이 수업을 개선할 수 있다. 그럴 뿐만 아니라 학생을 사랑하고 존중하며 성장하게 하는 방법이 교실을 행복하게 만들 것이다.

과거나 현재에 성공한 유명인 중 공부를 잘한 사람도 있고 못 한 사람도 있다. 학교 교육을 충실히 이수한 사람이 성공할 확률이 높다. 공부를 못 하거나 안 한 특이한 경우 성공해서 유명해진 사람도 있다. 단지 확률상 인원이 그리 많지는 않다.

현대 창업자 정주영 또는 발명의 왕 에디슨을 이야기하는 분들이 이렇다. 그들은 인생 공부와 사회 공부를 열심히 한 노력가 중의 노력가이다. 공부보다 더 어려운 끈기와 인내, 도전정신, 창의성이 대단한 인물이다.

교육의 궁극적 목적은 학생을 주도적인 인간으로 성장하게 하는 것이어야 한다. 누구나 재능을 가지고 태어났다. 이 재능을 끄집어내는 교육이 진정한 교육이다.

진정한 교육은 인격 형성이고 소질 계발이다. 수업 시간에 가르치는 학생이 바로 독립된 인격을 가진 주체적 인간으로 만드는 것이기 때문이다.

교사의 역할 중 가장 핵심적인 것은 수업 시간에 가르치는 일이다. 교사는 교육을 실천하는 교육실천가이다. 학생들의 미래 안내자이며, 도와주는 자이다. 교육은 학생 사랑과 열정을 유지하는 초심이 가장 중요하다. 초심을 지니며 중심을 잡고 열심히 수업하는 게 좋은 교사이다. 교사는 수업이 생명이요 사명이다.

수업은 Back to the Basic

수업 시작과 마침을 지키는 원칙은 중요하다. 시작종 치면 교실로 향하고 마치는 종을 치면 교실을 나오는 게 질서다.

학습 목표의 중요성은 강조하지 않아도 안다. 다만 학생들에게 반드시 알려주지 못하는 경우 학습 목표 달성에 어려움이 따른다. 이번 시간 중요한 게 뭐지? 배운 지식은 기억나지 않고 잔소리만 기억하는 경우가 많다. 이는 대부분 학생의 경험이다.

수업을 마치기 전엔 학습 목표 확인을 위한 형성평가 시행을 권장한다. 형성평가는 완전 학습의 지름길이다. 이는 즐겁고 행복한 학교생활의 기본이다. 학습이 즐거워야 함께 하는 수업 시간이 행복하다. 수업은 소통하는 시간이고 수업은 재미와 흥미, 의미 있는 수업 시간이 제일이다.

어떻게 하면 잘 가칠 수 있을까?

교사는 수업을 준비하는 게 당연한 일이다. 수업을 철저하게 준비하면 가르치는데 어렵지 않다. 궁리하고 연구하는 것이다. 교실의 상황이 변화무쌍하지만 그래도 준비해야 한다.

교사의 가르치는 마음이 우선이다. 학생들의 행동거지에 문제가 발생한다. 미 성숙한 학생이니 당연하다. 그렇지만 올바르게 교육하는 게 학교다. 언행일치해야 한다.

말과 행동이 다르면 어떻게 될까?

그래서 교사가 더욱더 힘들고 하기 싫을 때가 생긴다. 모든 걸 참고 인내하고 모범을 보여야 한다. 교사의 운명이다, 그렇지만 교사도 사람인지라 어떨 때는 의도치 않게 불손하거나 바르지 못한 언어가 튀어나온다, 참다가 나오니까 속상하고 안타깝다. 끝까지 참아야 하는 데 순식간에 튀어나오는 경우가 많다.

탈무드엔 "인간은 입이 하나 귀가 둘이 있다."라고 한다. 이는 말하기보다 듣기를 두 배 더하라는 뜻이다. 교사는 가르쳐야 하는데 듣기를 잘해야 한다는 표현에 더욱 비교된다.

국가는 교사에게 존중과 보상을 해야 한다. 교육과정이 바뀌고 교과서도 바뀐다. 국가는 교사를 존중해 주어야 한다. 사회는 교사를 존중하는 분위기와 "학교는 수업이 제일이다"라는 문화가 필요하다.

교육정책에 관한 책임을 누가 질까?

교실 수업은 누가 하나?

누가 수업 전문가인가?

학생 교육은 누가 할까?

교사는 평생 학교에서 근무한다. 그렇다며 교사에게 권한과 책을 주어야 하지 않겠는가? 권한은 없고, 보상도 적고, 의무만 많고…. 교육은 학생의 재능을 끄집어내는 것이다. 그렇다면 누가 그 재능을 끄집어낼까? 수업 시간엔 말 듣지 않는 학생 수업 후에는 행정업무를 처리하느라 시간이 없는데 누구 재능을 끄집어낼 시간이 있을지 의문이다. 최소한의 수업 시간에 무엇을 끄집어낸단 말인가. 과거엔 특기 적성 교육도 하지만 요즘엔 모조리 학원으로 달려간다. 안타깝지만 학교 공교육은 이제 사교육기관보다 못한 신세가 되었다.

과거 수업의 사례이다. 초임 시절의 저 경력 시절에 수업 연구대회가 있었다. 당시엔 승진 가산점도 없던 시절이다. 참가하여 여러 번 입상과 최우수상을 받고 관내 동 교과 교사에게 공개수업도 했다. 이때부터 수업에 대한 자신감으로 평생 수업을 지금도 하고 있다. 학생을 가르친다는 건 즐겁고 재미있는 일이 되었다.

다만 배운 학생들은 어떻게 생각할지 모르겠다. 어느 시기가 되자 수업 연구대회 수상자에겐 승진 가산점이 주어졌다가 승진의 도구로 활용된다고 최근엔 폐지됐다. 초중등 사범대학 기관에서 수업 연구대회 지도안 경진대회 참가했다. 수업 시간에 가르쳤던 내용을 보완해서 수업 후 결과 사진과 함께 제출하면 된다. 이 또한 몇 번 수상했다. 그러면서 수업 전문성이 나날이 자신감이 생겨 행복한 학교생활이다.

각종 대회 참가는 자유지만, 학습자료나 에듀테크 활용하면 더더욱 성장하게 된다. 도전하는 자세와 자신감이요 보상에 따른 행복과 보람도 있다.

과거 지식경제부 산하 산업기술진흥원에서 주관하는 '기술공작실' 사업 운영도 했다. 예산을 받고 수업 시간과 방과 후 동아리 활동도 했다. 여러 군데 대회에도 참가하여 운영 결과 수상도 했다. 상은 받으면 받을수록 묘한 느낌이다. EBS 교육 방송 '로봇 파워' 프로그램에 출연 로봇 대화 참가 수상도 했다. 교사의 경험은 학생 수업과 동아리 활동 참여한 학생과 함께 성장하게 된다.

정보통신윤리교육 대회에 참가하여 수상도 했다. 상을 받은 게 무슨 대수냐고 할 수 있지만, 경험이 많은 만큼 실수한 것도 많다. 모든 게 한 번에 이루어진 것은 아니다. 꾸준하게 노력을 반복한 결과 좋은 성과였다.

비즈쿨 연구 시범학교 3년간 운영했다. 창업 관련 동아리 활동하며 견학, 체험, 판매 등 활동을 했다. 또한 자유학기제 주체 선택 프로그램 수업으로 현대 자동차 주관하는 '미래자동차학교 프로그램'도 운영했다. 이 또한 수상 경험도 있다. 모두가 참여하는 공감하는 수업, 의미 있는 수업이었다. 다양한 사례 내용은 도서 『교육실천가』 및 『교육실천가 2』를 참고하길 바란다.

수업 나눔은 여럿이 함께한다. 교실 수업은 담당 교사 혼자서 학생을 가르친다. 교사 혼자 수업하지만, 다른 학급의 수업이 궁금할 때가 많다. 그래서 동료의 자율 장학 공개수업이 제일이다. 교사는 초심을 가지고 열심히 한다. 여럿이 함께 합심하며 지내면 행복이 온다. 스스로 양심껏 학생을 가르치지만, 이젠 중심을 잡고 뒷심을 발휘하는 중이다.

교육은 수업을 통해 이루어진다. 수업은 교사의 생명이고 사명이다. 교사는 다양한 수업 방법을 효율적으로 적용하는 일이다. 교사는 미래 인재를 가르치는 일을 하는 위대한 일이다. 그래서 수업은 수없이 업(UP) 하는 것이다.

행복해지는 7가지 수업(7T)

행복해지는 교사의 7가지 좋은 수업을 안내한다. T자로 시작하는 영어단어 7가지를 선정했다. 수업 시간에 7가지를 실천하면서 행복해지는 교사가 되길 기대한다.

행복해지는 교사의 7가지 수업(7T)을 나열한다.[11]

첫째, Think, 생각하는 수업

둘째, Talk, 대화를 주고받는 수업

셋째, Together, 함께 참여하는 수업

넷째, Train, 연습과 훈련하는 수업

다섯째, Technology, 교육 정보 기술 활용 수업

여섯째, Test, 과정 및 형성 평가를 하는 수업

일곱째, Thank You, 늘 감사하는 수업

교사의 수업은 삶(Life)이고 업(業)이다. 교사는 수업하며 학생을 가르친다. 성찰을 반복하며 성숙해지고 성장한다. 평생 수업을 위해 노력하고 책임감으로 사는 삶이다. 수업은 학생에게 모르는 것을 알려주고 깨닫도록 하는 시간이다. 배워서 알려주는 것으로 만족하는 삶이다.

---

11) 도서 『행복해지는 교사들의 7가지 수업』, 강신진 유덕철, 2023

2부 좋은 수업 길라잡이

행복해지는 교사의 7가지 수업 방법을 적절하게 활용하길 기대한다. 수업을 완벽하게 하는 방법이 아니라 수업을 완성하는 과정으로 이해하길 바란다. 교수·학습 활동을 통하여 행복한 교사로 살아가기 위한 하나의 방법이라고 생각하길 바란다. '행복해지는 교사의 7가지 수업(7T)'을 구체적으로 나열한다.12)

1, Think, 생각하는 수업

저자는 "Think 생각하는 수업을 하자."고 권한다.

생각할 시간을 주는 수업이 필요하다. 수업 시작은 보통 지난 시간 배운 내용에 대한 기억을 되살린다. 방법은 질문이다. 이는 호기심과 학습 동기를 유발한다. 생각하는 시간을 주고 묻고 대답을 유도한다. 확산적인 질문과 수렴적인 질문을 적절하게 사용한다. 수업 시간은 생각하는 시간이다. 사색하는 시간이며 여유로운 시간이 되어야 한다.

생각하는 수업, 질문하는 수업, 질문을 만드는 수업이 필요한 시점이다. 생각을 글로 작성하는 수업이다. 교사는 학생의 생각을 표현하고 키우는 Thinker이다. 생각하도록 질문하는 질문자이다. Teacher는 Thinker이다.

---

12) 도서 『행복해지는 교사들의 7가지 수업』, 강신진 유덕철, 2023

2. Talk, 대화를 주고받는 수업

Talk 대화를 주고받는 수업을 하자.

수업 시간은 학생들과 이야기하는 시간이다. 학생과 대화하듯이 설명하고 수업을 진행한다. Talk는 상호작용이다. 수업 시간 학생과 소통에 집중하고 수업하면 정서적 교감이 가능하다. 공감하는 시간이다. 경청과 공감은 따뜻한 관계이다.

수업 시간 질문을 적절하게 해야 한다. 질문하는 방법도 다양하다. 수렴적 질문에서 확산적 질문이다. 단순 질문에서 본질적 질문을 하는 것이다. 내 수업 시간에 질문을 많이 하는 습관을 갖자. 내 수업을 녹음해 보자. 내 수업을 들어보고 모두 작성해 보면 내 수업의 상황을 제대로 확인할 수 있다. 학습의 효율성을 높이는 방법을 궁리하자. 특정 주제를 가지고 대화하면 생각하게 된다. 내 생각과 다른 사람의 생각이 같을 수 있지만 다르기도 하다.

대화를 주고받는 시간, 소통하는 시간이 사고하는 역량을 기른다. 질문을 할 때 내 주장을 다른 사람에게 분명하게 전달할 수 있어야 한다. 토의·토론은 민주시민 양성에 기본이 되는 교육이다.

수업 시간 대화하고 생각하는 시간을 제공하는 방법을 궁리하자. 질문하고 경청하고 공감하는 것이다. 이제라도 단 몇 분이라도 수업 시간에 학생들끼리 토의하는 시간을 주자.

'톡톡 치지 말고 톡(talk)톡(talk)하세요.' 멋진 문구이다. 글에 대한 창의성이 대단하다. 인성교육은 서로 경청하고 존중하고 인정하는 데서 출발한다. 수업 시간 Talk을 하게 하는 시간을 충분히 제공해 준다.

3. Together, 함께 참여하는 수업

Together 함께 참여하는 수업을 시행하자.

수업은 함께하는 것이다. 함께 수업하면 이해의 속도가 빠를 뿐만 아니라 미래 사회에 필요한 역량이 함양된다. 수업 중 조별로 팀을 이루어 조별 활동하고, 하나의 작품 만드는 과제를 하며 개인별 평가하는 방법을 구상한다.

교실에서 팀을 이루어 학습하는 방법이 필요하다. 수업 시간 함께하는 배움은 이때 가장 좋은 환경이다. 학교는 협력하는 방법을 가르치고 배우도록 수업을 디자인한다. 학교 교실의 협동학습 환경으로 바꾸자. 수업 시간에는 팀 프로젝트 할 때 협동 정신을 배우고 협력하게 된다. 사진찍기, 그림그리기, 준비하기 등을 하게 분담한다. 수업 시간은 역할 분담 하여 과제를 해결하도록 한다. 교사는 팀원들이 잘할 수 있도록 시간을 주고 도와주는 것이다. 수업에 참여하도록 철저하게 돕는 역할을 한다. 교사의 역할은 촉진자(facilitator)이다.

Teacher는 학생과 함께하는 수업 시간이다. 교실에서 함께하는 환경을 위하여 Team을 조직한다. Team은 친구와 함께하는 Together이다. 친구와 함께 공감하고, 친구의 말을 경청하고, 친구와 함께 대화하는 시간이 수업 시간이다. 수업 시간, 교사와 함께, 친구와 함께.

4. Train, 연습과 훈련이 필요한 수업

수업 시간에는 가르친 내용을 익힐 시간을 주어야 한다. 스스로 소화 시킬 수 있는 자습 시간을 주어야 한다. 배운 내용을 이해하도록 수시로 피드백해야 한다.

수업은 가르침이요, 배움이다, 반복 연습이 필요하다. 수업 시간 배운 내용을 익히도록 연습하고 훈련할 시간을 충분히 주면 학습의 효과성이 좋다. 핵심을 요약하게 하는 시간을 주자. 수업 내용을 익히는 훈련하는 방법이다. 글로 쓰는 방법, 말로 설명하는 방법, 그림을 그려 표현하는 방법 등 발표하는 방법도 있다.

2부 좋은 수업 길라잡이

수준별로 학습지를 제공하는 방법 등 다양하다. 수업은 생방송으로 진행되기에 시행착오를 최소화하기 위해 사전 준비를 철저히 해야 한다.

에빙하우스의 망각 곡선과 '1만 시간의 법칙'이라는 게 있다. 수업 시간 반복하고 연습하는 습관으로 지식을 학습하는 것이다. 학습은 무한 반복이요 연습과 훈련이 중요하다. Train 연습과 훈련이 필요한 수업을 시행하자.

5. Technology, 에듀테크를 활용아는 수업

수업은 기술이다. 기술은 수업의 효율을 높여준다. 교육 현장에는 인공지능을 갖춘 AI 로봇 선생님이 등장할 것이다. 인공 지능(AI)로봇 선생님의 도움으로 개인별 맞춤형 교육효과를 기대하게 될 것이다. 인공지능을 갖춘 인공 지능(AI)로봇 선생님은 학습의 보조 수단으로 이용될 것으로 기대한다. 기본적인 학습 설계와 교육은 당연히 교사가 가르치게 된다. 교육에 변화는 당연하다.

디지털 시대는 생각하고 배우는 역량도 필요하다. 디지털 시대에 교사는 평생 학습해야 한다. ChatGPT도 기술을 어떻게 활용하느냐가 에듀테크이다. 디지털 인공지능 시대이다.

오늘날을 한마디로 표현하면 디지털의 시대다. ChatGPT 같은 생성형 인공지능(AI)이 빠른 속도로 발전한다. 수업 시간에 에듀테크 기술을 활용하는 것이다. ChatGPT도 발전할 것이다. 교육에 사용될 때 학생들의 창의성과 전문성, 인성 역량을 함양해야 한다. 교육과 평가 방식도 변화의 필요성이 요구되고 있다. Technology는 계속해서 발달한다.

하이테크-하이터치(High Tech High Touch)시대다. 하이테크(High Tech)를 활용하여 하이터치(High Touch) 학습을 통하여 학습 목표를 달성하는 것이다. 교과 역량을 키워주길 기대한다.

똑똑한 기술을 따뜻하게 사용하는 교실이 되길 소망한다. 똑똑한 기술을 잘 활용하는 따뜻한 교사, 똑똑하고 따뜻한 인재를 양성하길 기대한다. Technology 이용하는 수업 시간, 에듀테크 활용하여 행복한 수업 시간이 되길 희망한다.

2부 좋은 수업 길라잡이

6. Test, 영성평가 시행하는 수업

공부 결과는 시험으로 확인된다.

형성평가는 학습 내용의 이해도를 높인다. 좋은 결과는 좋은 수업의 효과이다. 좋은 수업은 완전 학습을 유도한다. 형성평가 늘 실시하는 게 수업의 기본이다. 학습 내용은 학생 자신이 평가할 기회가 많으면 학습효과는 높아진다. 매 수업시간 형성평가의 중요성을 강조하는 표현이다.

형성평가의 목적은 수업 시간 배운 내용 확인하는 과정이다. 학습 목표 달성이다. 학습 수준을 높이는 것이다. 교과 목표를 달성하는 기본이며, 핵심역량 함양의 기초가 된다. 교사의 교수 방법 개선으로 활용된다. 향후 학습에 도움을 주는 것이 목적이다.

아인슈타인을 "설명할 수 없다면 이해한 것이 아니다."라고 말했다. 수업 시간 듣기만 하면 곧 잊어버린다.

다양한 형성평가 방법이다. 마인드맵 작성하기, 질문하기, 문제 만들기, 비주얼씽킹 작성하기, 빙고 게임, 퀴즈, 디지털 기기 사용 발표하기, 온라인 평가 등…. 수업 시간 Test 형성평가 시행하는 수업을 꾸준하게 하자.

망각 곡선(forgetting curve)은 시간이 지날수록 학습한 내용을 얼마나 잊는지에 대한 그래프이다. 독일의 심리학자 헤르만 에빙하우스(Hermann Ebbinghaus)의 연구가 유명하다. 다만, 에빙하우스는 이것을 망각곡선이 아니라 보유곡선(retention curve)이라고 불렀다. 13)

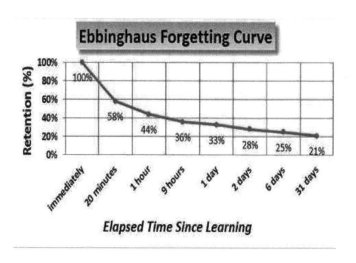

　배운 내용을 잊어버리지 않고 장기기억하려면 반복 학습, 즉 지속해서 복습해야 한다는 것을 강조한다.

---

13) 나무위키 에빙하우스 망각곡선
　　https://namu.wiki/w/에빙하우스 망각곡선

7. Thank you, 늘 감사하는 수업

감사하는 마음은 인성교육의 출발이다. 학교에서 수업을 마치면 가르쳐 주셔서 감사하는 마음을 가지도록 하는 게 인성교육이다. '고맙습니다'라고 말하는 감사하는 수업 시간, 감사하는 마음을 생활화하는 수업 시간이 그립다.

사소한 일에도 감사하는 마음은 좋은 일이 생긴다. 모든 일에 감사하는 마음이 행운을 부른다. 행운은 행복을 달려오게 만든다. 감사가 성공을 부르고 행복을 보장해 준다. 감사를 아는 학생을 기르는 게 인성교육이다. 내가 감사를 받았으면 감사는 누구에게나 있다. Give & Take 세상이 아니라 감사를 표현하는 게 감사의 세상이 된다. 누구에게나 감사한 일이다. 깊은 생각이 감사를 불러일으킨다. 홍익인간은 바로 이런 것이다. 자신에게 감사하는 것은 매우 중요하다. 모든 수업 시간이 감사한 일이다.

탈무드에 "세상에서 가장 지혜로운 사람은 배우는 자이고, 세상에서 가장 행복한 사람은 감사하는 자이다"라고 했다. '오늘 수업 잘 들었습니다' 이런 소리를 들으면 교사는 감동하고 즐겁다. 이런 게 교사의 행복이다. 감사하는 마음과 행동은 지혜로운 자라는 의미다. 감사를 표현하는 사람이 세상에서 행복한 사람이라는 뜻이다.

수업 시간에 적절하게 활용하여 좋은 교사 행복한 교사가 되길 기대한다. 읽어 주셔서 감사의 마음 전한다. 감사하고 또 감사하라. 감사하면 감사할 일이 생겨난다. 수업 시간 감사하는 마음을 가지고 지내는 게 인성교육이다. Thank you 이는 듣기만 하여도 가슴 설레는 말이다. Thank you 늘 감사하는 수업을 하자.

교사는 수업으로 학생과 함께 교실에서 행복과 소질을 찾아주는 게임을 한다. 학생과 상호작용이 전부다. 교사는 수업 시간이 행복하면 기쁨이고 보람이고 만족이다. 교사는 교실이라는 공간에서 학생과 함께 행복한 삶을 유지하는 것이다.

행복해지는 교사의 7가지 수업(7T)을 기술적으로 적절하게 활용하면 좋겠다는 제언을 한다. 모두 다 알면서 실천하지 않는 수업일 수 있다. 어설프게 알더라도 용기를 내어 실천하며 성장하는 것이 중요하다. 도전하고 성취하고 반복하는 게 수업이다. 수업 시간 감사하는 삶이다.

사랑으로 가르치고 소질을 찾아주는 게 교사다. 지금의 학생은 대한민국의 미래 인재이다.

2부 좋은 수업 길라잡이

[본시 수업의 흐름도] 예시이다.

　수업 시간의 학습 단계는 도입, 전개, 정리 및 평가로 이루어진다. 이 시간이 학생과 함께하는 활동하는 시간이다.
　수업 시간 행복해지는 7가지 기술을 선택하고 융통성을 가지고 적절하게 활용하길 바란다.

본시 수업 흐름		교수·학습 활동	시간
도입	전시학습확인 동기유발 학습목표제시	－ 인사 및 출결 확인 **1. Think**	
전개	학습활동① 설명, 예시 학습활동② 시범, 사례 학습활동③ 체험, 경험 기타	**2. Talk** **3. Together** **4. Train** **5. Technology** **6. Test** **7. Thank You**	
정리 및 평가	정리하기 형성평가	－ 차시 예고	

수업에선 가르치는 데 필요한 정답을 구하고, 왕도는 찾아야 한다. 수업에는 정석과 정성이 있다. 수업을 마치기 전엔 형성평가하여 완전 학습을 유도하는 게 정석이고 정성이다.

수업에 모범 정답은 없다. 궁리하고 연구하는 게 교사의 사명이다. 교사의 개인 능력에 따라 다른 것이 수업이다. 자 이제부터 연구하고, 함께 알아보자.

수업 시간에 행복해지는 교사의 7가지 수업 방법을 적절하게 활용하길 기대한다. 수업을 완벽하게 하는 방법이 아니라 수업을 완성하는 과정이다. 교수·학습 활동을 통하여 행복한 교사로 살아가기 위한 하나의 방법이라고 생각하길 바란다.

좀 더 구체적인 자세한 내용은 도서 『행복해지는 교사들의 7가지 수업』을 참고하기 바란다.

미래를 위한 수업은 무엇일까?

디지털 인공지능 시대이다. 에듀테크를 사용하여 맞춤형 수업을 한다. 2025년부터 디지털 교과서를 보급한다. 교사가 사용하도록 지원과 연수를 해야 한다. 행정 업무 수행하랴, 배우랴 배우고 가르치며 시행착오 하랴 더욱더 교사를 힘들게 한다. 그렇다고 안 할 수는 없는 시대가 되었다.

Bloom의 교육목표 분류이다. 이는 가장 기본적인 인지적 영역에 대해 구체적으로 제시했다.

인간의 사고는 기억, 이해, 적용, 분석(추론), 평가(문제 해결), 창안으로 구성되어 있다. 이는 상위로 갈수록 사고 과정이 더 복잡해지고 점점 고차원적 사고의 단계로 진입하게 되고 평가부턴 아예 복합적 사고 과정을 겪게 되는 것이다.

이는 어떤 문제에 대해 그 문제를 해결할 때 한 가지 방법(개념, 지식 등)을 사용하지 않고 여러 가지를 적용하고 추론해서 해결하는 것이다. 14)

---

14) 나무위키 https://namu.wiki/w/교육목표 분류

우리나라 교육은 지식, 이해, 사고력 등 인지적 능력 개발을 목표로 교육과정에서 수업하고 평가한다. 교사는 무엇을, 어떻게 가르치고, 무엇을 평가해야 하는가에 대한 고민이 앞서야 한다.

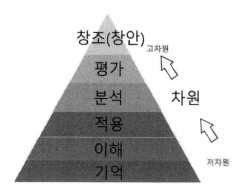

기본적인 지식을 습득하는 게 개념을 기억하고 이해 단계로 시작된다. 비교 분석하고 추론하는 능력이 상상이고 생각이고 이를 표현하는 게 종합적 사고이다.

모든 정보를 사용하여 문제를 해결하도록 종합적 사고가 창안이고 창조이다. 융합적인 사고로 무엇인가 창조하는 게 목적이다. 미래 수업 궁극적인 목표는 창조이다.

2부 좋은 수업 길라잡이

3장

교사의
수업나눔은 집단지성이다

Teacher

Teacher
of student
by student
for student

Facilitator
Mentor
Leader
Server
Tipper
Helper
Giver
Lover

스티브 잡스는 "위대한 일을 하는 유일한 방법은 자신이 하는 일을 사랑하는 것이다."라고 했다. 교사의 일은 위대한 일이다. 미래 세대를 가르친다. 가르치는 내 일을 내가 사랑하는 것이다. 내가 하는 수업으로 인하여 보람과 성취감을 느끼는 삶이다. 가르치는 삶의 의미를 찾게 된다.

교사는 때로 수업과 업무에 지친다. 육체적으로 정신적으로 힘이 들고 아픈 경우도 많다. 그렇기에 교사는 사기를 북돋아야 하지 힘들게 하면 더욱 괴롭다. 몸과 마음이 힘들고 아프지 않기를 바라는 마음이다.

수업 컨설팅은 수업 장학과 구분되는 개념이다. 수업 컨설팅은 학습자의 학습 개선에 초점을 두고 있다. 수업 문제를 해결하기 위해 수업을 체제적 관점에서 보고 체계적으로 접근하는 컨설턴트와 컨설티, 즉 수업 전문가와 교수자 간의 협력적 문제 해결 과정이다.[15]

---

15) 나무위키 수업 컨설팅
   https://namu.wiki/w/수업 컨설팅

수업은 자랑이다

우리나라 초·중·고 교사는 매년 공개수업을 한다. 학교 자율 장학, 학부모 공개수업, 스스로 원하는 외부 공개수업, 전문성 향상을 위하여 노력하고 있다. 공개수업 여러 번 하면 수업에 자신감이 생긴다. 하지만 공개수업이 오히려 자괴감이 생기는 일도 있다.

교사 공개수업 경험이다. 기술 수행평가도 공개수업 시간에 함께 한다. 수행평가를 공개수업 시간에 하면 모두 열심히 한다. 이유는 점수로 보장되기 때문이다. 수업 설계를 잘해야 한다. 교사의 수행평가를 공개수업 한다는 것은 매우 중요하다. 학생들은 점수를 잘 받기 위해 수업하는 게 아니라, 학습 목표를 달성하고 역량을 함양하는 것이다.

또한 공개수업은 활동 중심 수업을 주로 했다. 생각나는 대로 주제만 작성한다. 삼각법으로 도면 그리기, 발명 아이디어 산출하기 브레인스토밍과 발표, 큐브 제작하기, 종이 아치교 만들기, 건축 모형 제작하기, 보고서 작성하고 발표하기, 수송 기술 자동차 만들기, 미래 자동차 앱 활용하는 수업, 구글 어스 활용하는 건축물 찾아보기 수업, 주로 개인 또는 함께 참여하는 공개수업 했다. 공개 수업하게 되면 참관하는 분들에게도 만들기 재료를 준다. 학생들처럼 메이커 경험을 느끼도록 했다.

학교에서 수업 장학은 누구나 하기 싫은 게 사실이다. 자발적으로 하는 게 가장 바람직하다. 그러나 자발적인 수업 컨설팅은 소수이다. 공개 수업하면 생각나는 것은 수업 설계, 학습 주제, 학습지도안. 수업 나눔. 쇼. 특별한 날, 보여주기, 자랑거리, 부담되는 수업…. 불안과 걱정 때문에 잠도 오지 않고 고민이 많다.

자율 장학이나 공개수업 후 수업 나눔은 교사 상호 간 좋은 수업을 위해 정보를 공유하는 것이다. 수업 나눔은 수업에 대한 집단 지성이 된다. 우리는 나보다 더 똑똑하고 뛰어나다. 따뜻한 수업 나눔이 제일이다. 모든 수업이 성공적으로 할 수는 없다. 시행착오 거치며 나날이 성장하고 발전하는 게 교사의 수업이다. 누구나 서로서로 격려하고 지지해 주는 수업 나눔을 바란다. 수업 나눔은 수업 컨설팅과 같은 의미다.

수업 나눔의 본질은 교사의 수업 능력 향상이다. 수업 운영의 애로사항이나 문제점에 대하여 진단하고 분석한 자료를 가지고, 그 대안을 제시하는 대화이고 상담이다.

3장 수업 나눔에 대하여

수업 컨설팅은 수업 공개하는 교사에게 도움을 주는 것이다.

수업 나눔 어떻게 하지?

수업 총평, 칭찬, 배운 점, 알게 된 점…. 수업 나눔으로 학교를 학교답게, 수업을 아름답게 하며 교사가 행복해지는 길이 되길 바란다.

수업 컨설팅은 수석교사가 주로 해야 할 업무이지만 참관에 따라 수업 비평이 되기도 한다. 수업 참관 후 평가가 아니라 학습자의 위치에서 바라보며 수업 공개하는 교사가 놓친 부분을 공감하고 나누는 수업 대화이다. 수업을 공개하시는 교사의 장점과 수고를 지지해 줌과 동시에 도움을 받을 수 있는 게 수업 나눔이다. 다양한 정보를 제공해 주는 것이다.

교사의 공개수업 참관은 전문성 향상하는 지름길이다. 다른 교과, 다른 학년, 다른 학교 선생님들의 수업 참관 적극적으로 권장한다. 특히 초·중·고 학교급 상관없이 권장한다. 시간이 없는데 언제 참관하느냐고 할 것이다. 교사의 적극적인 수업 참관 횟수가 많아지면 전문성은 더욱 향상된다고 믿는다. 평생 수업하는 게 교사의 삶이고 업이다.

교사의 전문성과 자신감 향상 길을 안내한다. 매년 수업 연구대회에 참가를 권장한다. 또는 대학교에서 개최되는 수업 연구대회에도 참석하길 바란다. 이유는 여러 가지이지만 교사 수업 전문성 향상의 지름길이다. 수상이 목적이 아니라 수업 대회 참여하면 준비하는 과정에서 자신감과 만족하는 경험이 생긴다.

수업 컨설팅은 교사의 학교 일상 문제를 해결하도록 지원하는 돕는 과정이다. 어제보다 더 나은 교사로 성장하길 지원할 뿐이다. 교사의 열정과 사랑은 경력과 무관하다.

수업을 연구하고 좋아하는 게 행복한 덕후되는 길이다. 따뜻하고 떳떳한 자랑스러운 교사의 길은 내 마음이다.

3장 수업 나눔에 대하여

공개수업은 반면교사다

학교는 자율 장학을 한다. 동 교과나 동 학년 전문적 학습 공동체의 자발적인 연구 분위기 조성과 수업 방법 개선을 목적으로 한다. 언제 어디에서나 활동하는 자율성 전문성 활동이다. 학교 안, 학교 밖에서 협업하는 집단지성이다.

교사들이 갖추어야 할 역량은 무엇인가?
어디에서 어떻게 활동하나?

전문적 학습공동체는 배우며 성장하는 학습공동체이다.
공부하고 연구하고 수업 나눔 행사를 하는 교육 공동체. 교사끼리 수업 공개하고, 교육과정 함께 연구하고, 공동으로 수업 지도안 작성하고, 동 학년 함께 수업 나눔하고, 현장의 문제 함께 해결하는 공동체이다.

전문적 학습공동체는 교사들의 자발성, 함께하는 동료성, 학교 업무 책무성으로, 성장과 성찰하는 공동체이다. 다양한 체험과 수업 사례 공유는 교사의 전문성 역량을 향상하는 게 중요하다.

동료 장학은 교육활동을 개선하기 위하여 공동으로 노력하는 과정이다. 수업의 효율성을 높이기 위해서는 전문성을 신장하는 것이다.

교내 장학은 동 교과, 동 학년 운영이 원칙이다. 정보공유를 위한 노력이 제일이다. 동료의 공개수업은 역지사지고 반면교사이다. 교사의 성장을 돕는 역할을 크게 한다.

"교육의 질은 교사의 질을 넘을 수 없다"라는 의미를 다시 강조한다. 교사는 배워서 남 주는 게 삶이고, 교직 생애 기간 배움에 게을리하지 말아야 한다. 스스로 연구하고 탐구하는 교사가 많아지고 있다. 수업 우수 교사, 학급경영 우수 교사에 대한 보상을 강화하는 제도가 필요하다. 이왕이면 선배 교사에게 도움을 요청하는 풍토도 조성되길 기대한다.

전문적 학습공동체를 하다 보면 수업 고민도 해결할 수 있고, 전문가로서 성장하는 느낌도 든다. 교사의 행복 원천이 내 곁의 동료 교사임을 이제야 깨닫는다. 교사가 교재를 연구하고, 학생과 교학상장 하는 게 자랑스러움이다. 학습공동체는, 교육의 변화를 위해, 교사에게 역할을 하도록 지원하고, 교육활동에 대해 간섭하지 않는 제도를 진심으로 희망한다.

3장 수업 나눔에 대하여

교사가 오래 행복하게 하려면 평소의 수업을 잘하는 게 중요하다. 물론 공개수업이니 특이한 걸 보여주는 게 당연하게 여길 수 있다. 특별한 날이라고 별도로 준비하면 신경 쓰이고 이런 수업 왜 하지? 생각한다.

공개수업은 자랑이다. 교사의 공개수업은 자신감이며, 자신을 자랑하는 방법이다. 나 수업 제대로 잘할 자신 있다는 증거다. 그러나 공개수업을 보여주기식의 수업은 걱정이다. 평소에 하는 모습을 공개하는 수업이 중요하다. 이벤트성 수업은 한 번뿐이다.

공개수업은 교사의 수업 역량을 높이고 동료 장학을 통해 우수한 수업이 확산할 수 있도록 하는 거다. 공개수업에 참관하여 수업을 지켜볼 수 있으며, 수업을 진행하는 교사들은 동료 교사들에게 자신의 수업을 공개하여 나눔의 시간을 갖는다. 교사가 공개 수업·나눔 활동에 소극적인 경우도 있다. 이유는 다양하다. 괜히 번거롭고 어색하고 두려운 심적 부담감과 거부감이다. 그리고 공개 수업·나눔 활동의 필요성을 느끼지 못한다. 늘 잘 해왔고 지금도 잘하고 있고 앞으로도 잘할 것이라는 자신감이 있기 때문이다.

공개수업은 정기 건강검진이다

공개수업 듣기만 해도 가슴이 떨리는 경우도 많다. 대부분 교사는 공개수업을 좋아하지 않는다.

공개수업은 묻지도 따지지도 말고 참관하면 배울 점이 많다. 교사가 공식적인 공개수업에 참관하여 주관적인 판단을 할 수 있는 소중한 시간이다. 공개수업에 준비하느라 얼마나 고생했는지를 알 수 있다. 누가 참석할지도 모르기에 걱정하지만, 철저하게 준비하는 게 교사다. 공개수업은 교사의 수업 능력과 학생들의 수업 참여도를 관찰하는 자리이다.

교사는 누구나 수업만큼은 자신이 있다고 생각한다. 그렇지만 교사가 수업을 공개한다는 것은 나를 보여주는 행사이다.

공개수업은 매년 의무적으로 한다. 학교의 자율 장학과 학부모 공개수업이다. 평소처럼 해야 컨설팅할 텐데 이날 수업은 활동 중심 수업과 화려한 수업 방법이 대부분이다. 보여주는 수업을 준비하느라 고생을 많이 하니 공개 수업하기가 너무 부담되고 하기 싫은 것이다. 당연하겠지만 모든 수업이 이

3장 수업 나눔에 대하여

럴 것이라고 오해할 수도 있다. 보여주는 수업이 아니라 평소 수업하기 어려운 학급이나 문제 학생이 있는 학급에서 참관 요청하기를 바란다. 그래야 개인의 성장과 발전의 수업 공개가 된다.

공개 수업하는 교사는 자랑스러움과 안타까움, 어색함이 공존하는 게 수업 공개다. 수업 컨설팅 경험으로 보면 평소의 어려운 학습의 수업에 참관해서 문제점을 함께 해결하는 게 진짜 공개수업 컨설팅이다. 수업 나눔은 모든 경험을 공유하는 만남이다.

수업 전문가인 교사도 수업 평가가 어려운 일이다. 그동안 경험에 의하면 학부모 표를 의식한 우리나라 교육정책이었음을 알게 된다. 공개수업 한 시간으로 교사를 평가한다는 건 이해가 안 가는 부분이다. 교사 평가제도는 교사의 사기를 저하하는 일이다. 이를 즉시 폐지하는 게 답이다.

공개수업은 교사들의 자발적인 공개수업이 있고 학부모 공개수업이 있다. 학부모 공개수업은 한두 번 보고 미주알고주알 간섭하거나 교사를 평가하는 것이 문제다. 교육에 전문성을 가진 학부모가 얼마나 될까? 학부모가 학교에 드나들며 수업을 간섭하게 되면 교사의 설 자리는 어디란 말인가?

공개수업이 시작된다. 칠판에 직접 분필로 학습 목표를 쓰면 되는 일을 프린트해서 붙이기도 한다. 공개수업은 일회성 수업으로 그치게 된다. 원래 수업을 편하게 공개하는 것이지만 한 시간을 위해 준비하는 경우가 허다하다. 수업에 대한 부담감을 조금 줄여 줄 수 있기를 소망한다.

수업이 끝나면 수업 참관 소감을 작성하고, 수업 나눔 시간에 대화한다. 이는 마치 의사들이 한 명의 환자를 두고 어떻게 치료할까를 협업하는 거나 마찬가지다. 수업에 관한 질문과 관찰한 사항을 공유한다. "이 수업 준비하느라 고생 많으셨습니다."

이 수업을 하게 된 동기나 목적은?
이 수업을 하며 알게 된 점은?
수업의 목표는?

교사에겐 수업 공개에 대한 예방 주사이다. 미리 잘할 수 있도록 보고 배우는 역지사지고, 반면교사이며 교학상장이다. 교사는 공개수업을 참관하며 의지를 다지고 각오하며 자신감을 느끼는 것이다. 수업 공개 및 참관 교사 간 서로의 경험과 지식을 공유하고 성장하는 일이다.

3장 수업 나눔에 대하여

참관 교사는 공개수업을 보고 학생들의 태도와 교사의 학습 목표 달성을 위한 준비를 살펴본다. 수업에 대한 격려와 지지를 통해 칭찬하며 서로 인정하고 존중하는 것이다. 배움이 되는 교학상장이며, 역지사지가 진정한 수업 나눔이다.

교사의 공개 업은 수업 고민하고 디자인하는 과정을 통해 내 수업을 개선하게 된다. 교사의 상호 공개수업은 교사가 함께 성장할 수 있는 중요한 가치를 발휘한다. 공개수업은 교사의 공개수업은 수업 시간 자신감의 여부를 확인하는 정기 검진이나 마찬가지다.

학부모 공개수업은 학급의 수업을 참관하며 자녀의 학습활동을 직접 확인하는 시간이다. 학교생활을 한층 이해하고 공감하는 시간이 되길 기대한다. 교사가 행복한 학교, 학생이 즐거운 학교, 학부모가 만족하는 학교를 희망한다. 그리고 교사가 존중받고 인정받는 사회를 기대한다.

수업 참관요령이다

　기술 수업은 이론보다는 실습이 대세이다. 저자는 수석교사이지만 기술 수업을 담당한다. 특별하게 하는 이론 수업도 있다. 다만 기술은 실습 위주 경향이 많기에 공개수업 시간에는 학생들이 잘 만들려고 노력한다. 공개수업은 같은 학년 교사들 간에 이루어질 때 가장 커다란 효과가 있다. 수업 참여나 수업 태도 등을 학년에서 공유하며 공감대가 형성되기 때문이다.

　수업 나눔은 잘 가르치는 것을 보여주는 것이 아니다. 학생이 어떻게 배우느냐를 보는 거다. 교사의 전문성은 수업을 공개하는 거다. 교사의 수업 전문성은 자신감 있는 공개수업에 있다. 공개수업 일상화에 도전해 보자. 수업 문턱을 낮추고, 수업 초청해서 평생 행복한 수업을 하기 기대한다.

　대부분 교사는 본인의 수업을 잘한다. 자기 수업의 부족함을 느끼면 스스로 혁신하는 마음이 생긴다. 연구하고 노력하게 된다. 수업이 잘 이루어지려면 교사와 학생과의 경계선이 잘 세워져야 한다.

3장 수업 나눔에 대하여

무엇보다 관계 세우기를 바탕으로 질서 세우기가 이루어져야 한다는 것이다. 학생과의 관계는 중요하다. 학생들과 함께 약속 형태로 수업 규칙 및 생활 규칙을 만들어 함께 지키도록 하는 시간이 수업 시간이다. 수업은 상호작용이다. 수업을 마치면 역지사지를 느낀다. 함께 참여하는 수업이 제일이다. 교사와 학생은 수업 시간에 대화하며 사고력을 키우고, 학습 목표를 달성하는 것이다.

수업은 준비하는 게 수업의 완성도이다. 다만 학생의 의지가 중요하다. 남에게 보이는 SHOW 이제 그만하자. 수업 참관은 수업을 배우는 좋은 기회이다. 신경이 곤두선다고나 할까. 참관 후의 상호정보 교류할 이야깃거리를 찾아야 하기 때문이다. 신경 안 쓰고 수업 시간 지나가기를 바라며 참관하면 한 시간 지루하기도 하다.

수업 참관의 분위기는 학교 교원 구성원의 성별, 경력별 상황이 다르다. 공개수업은 교과별로 참관하고, 신규교사는 의무 참여하게 하고, 저 경력 교사는 참관 권장, 전 교사에게 희망 참관을 홍보한다. 학교 분위기에 따라 참관 인원은 다르다.

수업 참관 후 입장이다. 수업 시간에 학생이 배움 활동을 잘하는지 관찰한다. 또한 학습 목표를 알고 배우고 있는지, 학생 수준에 맞는 개별학습이 잘 이루어지고 있는지 살펴본다. 교사와 학생 모두의 상태를 살핀다.

교사와 학생의 상호작용이 잘 이루어지는지, 학생의 수준과 교과의 내용은 적절한지, 제시하는 학습자료는 무엇인지, 학생 누가 활동에 참여하고 안 하는지, 형성평가는 자연스럽게 이루어지며 평가 결과를 학습활동에 피드백하는지 등을 살펴본다. 솔직하게 말하면 한 시간 동안 수업 참관하면 관찰하고 기록하고 질문거리 작성하느라 수고가 많다.

수업을 바꿔야 한다고 누가 말하는가?
왜 바꿔야 하는가?
공개수업은 어떤 의미가 있을까?

수업의 변화는 힘든 일이다. 교사라면 모두 공감할 것이다. 공개수업은 그동안 수업 공개하면서 느낌은 자신감이다. 스스로 만족하며, 스스로 자만심에 빠지게 된다, 그리고 보여주기식이 아닌 평소의 수업이므로 부담도 없다. 수업을 변화시킬 수 있는 좋은 경험을 하면서 변화한다. 내적 효능감과 성장을 바란다.

3장 수업 나눔에 대하여

수업 참관은 교수 능력 파악과 수업 준비, 수업 실행과 문제행동 예방 및 지도, 생활 습관 및 인성교육 내용도 살펴본다. 수업 관찰은 교사의 교수활동보다는 학생의 학습활동에 초점을 맞추어, 학생 한명 한명에 대해 교사가 어떻게 대응하고 있으며, 각 학생을 배려하고 있는지 관찰한다.

교사가 유연하게 대응하고 있는지, 학생들이 안심하고 자기 생각을 말할 수 있는 교실 분위기가 조성되고 있는지 관찰한다. 학급당 학생 수가 수업을 하는 데 영향을 준다. 학생 수가 적으면 아무래도 맞춤형 교육이 가능하다.

공개수업 참관록 무엇을 작성할까?

학교 공개 수업 현장엔 교수 학습 지도안과 수업 참관록이 비치되어 있다. 이를 작성하고 수업 나눔을 한다. 과거 자기 수업 개선을 위한 수업 분석표와 요즘의 공개수업 참관록 예시이니 참고하기를 바란다.

구분	평가 내용 예시
수업 계획 및 수업 과정	1. 다양한 수업기술을 위해 사전 교재연구를 철저히 하였는가?
	2. 교수-학습 계획이 학습 유형에 알맞게 짜여 있는가?
	3. 학습자료는 다양하게 준비하였는가?
	4. 학습 분량은 수업 시간에 맞게 조절되었는가?
	5. 학생들이 학습 목표를 성취할 수 있도록 동기화시켰는가?
	6. 효과적인 질문을 활용하였는가?
	7. 매체 등의 다양한 자료가 효율적으로 이용되었는가?
	8. 판서는 구조화되었으며 정확성, 간결성이 지켜졌는가?
	9. 학생 개개인의 학습수준이 고려된 학습활동 이루어졌는가?
	10. 학생들의 자기 주도적 학습이 이루어졌는가?
	11. 학습활동에 학생들이 스스로 평가할 수 있도록 도와주었는가?
	12. 형성평가를 시행하였는가??
	13. 수업 내용의 정리 및 차시 예고를 잘하고 있는가?
학습 환경	14. 학생과 교사 간에 상호 존중의 분위기를 조성하였는가?
	15. 개방적이고 허용적인 학습 분위기가 형성되었는가?
	16. 정서 순화에 도움이 되는 학습 환경이 조성되었는가?
자기 수업 분석	* 수업 소감 * 우수 사항 및 개선 사항

	자기 개선을 위한 수업 분석 예시					
	설 문 내 용	해당란에 ∨표				
		아주 그렇 다	약간 그렇 다	보통 이다	약간 아니 다	매우 아니 다
목소리	1. 목소리 크기가 적절한가?	⑤	④	③	②	①
	2. 말하는 속도가 적절한가?	⑤	④	③	②	①
	3. 발음이 똑똑한가?	⑤	④	③	②	①
	4. 목소리에 변화가 있는가?	⑤	④	③	②	①
몸동작	1. 몸동작이 의도적이고 적절한가?	⑤	④	③	②	①
	2. 서 있는 자리를 옮겨주는가?	⑤	④	③	②	①
	3. 학생들에게 시선을 주고 있는가?	⑤	④	③	②	①
	4. 모든 학생을 살펴보는가?	⑤	④	③	②	①
	5. 몸동작의 효과를 극대화하는가?	⑤	④	③	②	①
칠판/ ICT /쓰기	1. 시각적 효과가 있는가?	⑤	④	③	②	①
	2. 악센트 효과가 있는가?	⑤	④	③	②	①
	3. 브레이크 효과가 있는가?	⑤	④	③	②	①
	4. 본보기 효과가 있는가?	⑤	④	③	②	①
	5. 말하는 내용 중복하지 않고 보완하는가?	⑤	④	③	②	①
강의 진행	1. 강의에 열의가 느껴지는가?	⑤	④	③	②	①
	2. 시간을 의미 있게 보내는가?	⑤	④	③	②	①
	3. 강의 속도가 적절한가?	⑤	④	③	②	①
강의 구성	1. 강의에 시작이 있는가?	⑤	④	③	②	①
	2. 강의에 숨돌릴 여유가 있는가?	⑤	④	③	②	①
	3. 호기심을 유도하는가?	⑤	④	③	②	①
	4. 가장 중요한 내용이 두드러졌는가?	⑤	④	③	②	①
	5. 강의에 끝맺음이 있는가?	⑤	④	③	②	①
학생들 과의 관계	1. 학생들을 개개인으로 인식하는가?	⑤	④	③	②	①
	2. 학생의 의사를 존중해 주는가?	⑤	④	③	②	①
	3. 학생들이 참여할 기회를 주는가?	⑤	④	③	②	①
	4. 학생이 잘했을 때 알맞게 칭찬하는가?	⑤	④	③	②	①
	5. 학생이 못했을 때 격려해 주는가?	⑤	④	③	②	①
	6. '거리감 없는 존중'을 받는가?	⑤	④	③	②	①
		합계 :		/ 140		

자기 수업 평가지 예시		해당란에 ∨표				
		아주 그렇 다	약간 그렇 다	보통 이다	약간 아니 다	매우 아니 다
수업 준비	1. 교과의 중심 개념, 핵심 구조를 파악하여 선수 관계를 알고 수업 전략을 수립하였다.	⑤	④	③	②	①
	2. 효과적인 수업 방법을 설계하기 위하여 동료 교사와 협의하였다.	⑤	④	③	②	①
	3. 전문성 신장을 위하여 해당 단원에 적절한 다양한 자료를 수집하여 지도계획을 세웠다.	⑤	④	③	②	①
수업 실행	4. 수업을 시작하면서 이전 수업과의 연관성을 알려주었다.	⑤	④	③	②	①
	5. 수업 시간에 배울 학습 목표 및 학습 주제를 항상 제시하였다.	⑤	④	③	②	①
	6. 교과 내용과 학생의 수준을 고려하여 적절한 수업 방법을 적용하였다.	⑤	④	③	②	①
	7. 판서는 체계적이었고, 적절한 학습자료를 제시하여 내용을 이해하는 데 도움이 되도록 하였다.	⑤	④	③	②	①
	8. 수업이 지루하게 진행되지 않도록 분위기를 조성하였고, 수업에 집중이 잘되도록 하였다.	⑤	④	③	②	①
	9. 학생들이 능동적으로 학습에 참여하고 유의미한 학습되도록 학습 활동을 구안하였다.	⑤	④	③	②	①
	10. 학생을 칭찬하고 격려하여 학생이 자발적으로 학습 의욕을 높일 수 있도록 노력하였다.	⑤	④	③	②	①
	11. 학생의 수준에 상관없이 학생들을 인격적으로 존중하고 배려하였다.	⑤	④	③	②	①
	12. 설명의 수준 및 말의 빠르기를 조절하여 학생들이 이해하기 쉽게 수업하였다.	⑤	④	③	②	①
	13. 수업 분위기가 정돈되어 있으며, 적절한 유머와 재치로 학습 분위기를 조성하였다.	⑤	④	③	②	①
	14. 학생의 사고력을 신장시키는 발문을 통하여 창의적 문제해결력이 향상될 수 있도록 하였다.	⑤	④	③	②	①
	15. 수업 준비를 성실하게 하여 수업하고 나면 내 자신의 수업에 대한 만족도가 높다.	⑤	④	③	②	①
	16. 홈페이지, e-learning, 학습지 등을 통해 수업 후 학생들에게 피드백을 해주었다.	⑤	④	③	②	①
	17. 수업 주제와 관련하여 인터넷 사이트 및 다양한 수업 관련 정보를 제공하였다.	⑤	④	③	②	①
수업 평가	18. 수업 목표 도달 및 학생의 향상을 확인할 수 있는 평가를 시행하였다.	⑤	④	③	②	①
	19. 수업 시행 후 자신의 수업을 분석하고 동료 교사와 협의를 통해 수업의 내실화를 기하였다.	⑤	④	③	②	①
	20. 수업 후 수업 관련 설문조사를 실시하여 수업 개선에 노력하였다.	⑤	④	③	②	①
	합계 :			/100		

3장 수업 나눔에 대하여

교수·학습 활동 참관록 예시

일 시		년 월 일 요일 교시			참 관 자		(인)
지도교사		지도대상	학년 반		지도장소		
교 과 명		단 원 명					

영역	요 소	참관 내용(관점)	평가	특기 사항
수업설계	학습 지도안	학습 목표가 수준에 맞게 제시되어 있는가?		
		학습 내용은 목표 달성을 위하여 선정·재구성되어 있는가?		
		교수-학습 활동이 학습 유형에 알맞게 구성되어 있는가?		
교수학습활동	교수활동	학습 동기를 적절히 유발하여 학습 의욕을 촉진하는가?		
		교수활동 단계는 유기적으로 진행되고 있는가?		
		학생 수준에 따른 개별학습을 촉진하는가?		
		교과 및 학습 목표에 적합한 교수 방법을 활용하는가?		
		자기 주도적 학습(학습 방법의 학습)을 촉진하는가?		
		질문의 유형은 다양하며 학습자의 사고를 자극하는가?		
		사전 계획된 과정이 착실하게 진행되고 있는가?		
	학습활동	학습 준비 및 학습 결과의 정리는 충실한가?		
		뚜렷한 목표 의식으로 자주적으로 학습에 참여하고 있는가?		
		학습자 상호 간에 의견 교환이나 협력이 이루어지는가?		
		사고력과 문제해결력, 창의력 신장을 위한 학습 훈련이 되어 있는가?		
		탐구적 접근을 통한 학습 활동을 전개하고 있는가?		
평가활동	수행평가 관련 활동	수행평가가 효과적인 방법으로 이루어지는가?		
		평가 결과를 학습 활동에 환류하고 있는가?		
		양적인 평가에서 질적인 평가가 이루어지고 있는가?		
		차시 학습을 위한 적절한 과제를 부여하는가?		
학습자료	자료의 적정성	학습 지도에 유용한 자료가 충분히 준비되었는가?		
		학습 사태에 따라 적시에 제시 활용되는가?		
		제시용 자료보다 학습자 중심의 자료를 제시하고 있는가?		

참관록 작성은 누구를 위한 일인가?

이 또한 작성하려면 솔직히 작성하기 귀찮고 칭찬 일생이라 낯 간지럽다. 다만 교사가 반면교사의 삶을 느끼기엔 수업 참관이 제일이다. 비교해 보고 교사에게 어떤 역량이 함양되고 성장할지 분석하기를 바란다.

영역	평가 항목	매우 그렇	그렇	보통 이다	아니	전혀 아니
	나의 교육활동에 대한 학생들의 평가(중등 학생용) 예시 다음은 여러분들이 선생님의 교육활동에 대해 어떻게 생각하고 있는지 알아보고, 여러분들을 더 잘 가르치며 학교생활에 도움을 주려는 질문들입니다. 평가 항목을 잘 읽고 자신의 생각과 가장 일치하는 곳에 '○'표 하십시오.					
교과지도	1. 선생님은 교과 내용을 알기 쉽게 이해하도록 가르치신다.					
	2. 선생님은 우리들의 수준에 맞게 수업하신다.					
	3. 선생님은 우리들의 질문에 친절하게 대답하신다.					
	4. 선생님은 수업 시간에 칭찬이나 격려를 많이 하신다.					
	5. 선생님은 골고루 발표할 기회를 주신다.					
	6. 선생님의 목소리는 알아듣기 쉽고 친근감이 있으시다.					
	7. 선생님은 즐거운 수업 시간이 되도록 노력하신다.					
	8. 선생님은 다양한 수업 보조자료를 활용하신다.					
	9. 과제는 분량이 적당하며, 학습에 도움이 된다.					
	10. 선생님은 성적 평가를 공정하게 하신다.					
생활지도	11. 선생님은 우리에게 친절하게 대하신다.					
	12. 선생님은 우리를 편애하지 않고 공평하게 대하신다.					
	13. 선생님은 우리 잘못을 지적하고 고치도록 훈계하신다.					
	14. 선생님은 우리가 서로 존중하고 도와가는 분위기를 만들도록 지도하신다.					
	15. 선생님은 우리 고민에 관해 관심을 두고 도와주신다.					
	16. 선생님은 우리가 집단따돌림이나 학원 폭력을 당하지 않도록 관심을 두신다.					
	17. 선생님은 우리들의 자발적 자율적인 활동을 권장하신다.					
	18. 선생님은 우리들 개성과 소질을 신장시키도록 도우신다.					
	19. 선생님은 학급행사와 학교행사에 우리와 함께 참여하신다.					
	20. 선생님은 우리들의 진학 및 진로에 관심이 많으시다.					
	합계					

수업 컨설팅의 허와 실

교사는 평생 배우고 가르치는 사람이다. 배움에 게을리하지 않고 모두 열심히 연수를 듣고 배운다. 배우면 끝이 아니라 배운 것을 학생에게 되돌리려고 연구하고 가르친다. 늘 배우고 가르치느라 시간 가는 줄 모른다.

미래를 살아갈 학생들의 역량은 어떻게 기를 수 있을까?

탈무드에는 "누가 가장 똑똑한 사람인가? 모든 경우, 모든 사물에서 무엇인가를 배울 줄 아는 사람이 똑똑한 사람이다."라고 강조한다. 괴테가 말하기를 "유능한 사람은 언제나 배우는 사람인 것이다."라고 말했다.

좋은 수업의 비법은 많다. 다만 수업 방법을 고민하고 학생 활동 중심 수업을 연구하고 적용해 시행착오를 줄이는 것이 교사의 교실 수업 개선 방법의 도전이다. 교사의 수업 개선에 대한 의지는 학생들과의 협력을 이끌어 공감과 관계 맺기를 잘해야 한다.

신규 선생님들이 다른 학교로 수업을 참관하러 가고 싶어도 시간표 바꾸기가 쉽지만은 않다. 동료 교사나 선배 교사들에게 미안하기도 하고, 의무 사항이 아니라 참관을 안 해도 되기 때문이다. 신규교사는 교육과정을 재구조화하여 요즈음 추세에 맞는 방법을 구상하고 가르친다. 교사의 사명은 학생과 소통하고 공감하면서 잠재적 역량을 끌어내는 역할이다.

수업코칭은 교사가 자신의 역량을 강화하고, 학생들의 학습 경험을 풍부하게 만드는 중요한 과정이다. 교사의 자발성과 선택권을 존중하는 것이 중요하다.

교실 수업 개선 실천 역량을 높일 수 있는 교사 연수는 자발성이 우선이다. 최근에는 교실 수업 개선을 위한 교사들의 노력은 대단하다. 본인의 역량 함양에 소비자 중심의 연수를 하며 학교 현장에 새바람을 일으킨다. 교사 연수는 미래 교육을 선도하는 데 이바지한다. 교사는 배우고 가르치며 학생의 삶을 변화시키는 변환자이다.

수석교사도 교육 방법을 주제로 공부하고 정보를 나누고자 한다. 다만 수업은 학생의 능력을 끌어내는 게 목적이어야 한다. 교사의 능력을 이끌어 가르침에 자신감과 동기를 부여하는 것이다. 모든 사람은 나에게 훌륭한 교사이다.

3장 수업 나눔에 대하여

수석교사의 역할이다. 저경력 교사와 신규교사와의 티칭(Teaching)과 코칭(Coaching)에 의미를 둔다. 수석교사와 함께하는 수업 나눔은 좋은 기회이다. 저 경력 교사와 신규교사는 수석교사의 경험을 배우면 상호 시너지를 이룬다. 이런 현상이 자유롭게 이루어지는 학교가 행복해지는 학교다.

공자는 "스스로 자신을 존경하면 다른 사람도 그대를 존경할 것이다."

샤롤 드골은 "할 수 있다고 믿는 사람은 그렇게 되고, 할 수 없다고 믿는 사람도 역시 그렇게 된다."라고 했다. 수업시간 학생들에게 격려하는 응원과 지지는 자존감도 향상하며 교사의 신뢰를 높이고 교육에서 효과를 극대화할 수 있다. 항상 자신을 믿고 사랑하고, 자신을 사랑하고 나를 격려하며 지내길 바란다.

공개수업은 역지사지다

　지금 학교 현장은 바쁘다. 공개수업 참관은 시간을 내야 하므로 업무에 바쁜 선생님들의 의지가 있어야 가능하다. 수업 방법에 관심이 많고 수업을 잘하시는 분들도 참관하게 된다.

　수업을 마치면 속이 후련함을 느끼거나 아쉬움이 있을 때가 있다. 철저하게 수업 준비했는데 내가 생각한 것에 미흡하면 괜히 속상했던 기억도 있다. 수업 내용에 대한 준비를 잘해 멋지게 보여주려는 마음이 있었던 모양인가 보다. 이제는 학생의 완전 학습에 가깝게 수업을 연구하고 있다. 학생들의 참여도를 높이기 위해 활동 중심 수업과 발표하는 수업을 설계한다.

　공개수업을 마치니 후련하다. 공개수업 후 수업 나눔에서는 교수법의 장단점, 공개수업의 의도와 준비 상황, 평가 방법과 학생들의 참여도에 대하여 허심탄회하게 나눈다. 이때 주로 많이 하는 질문은 평가 방법이다.

수업 나눔은 오늘따라 수업 시간에 잘하는 모습을 보니 가능성이 있겠다 싶은 학생을 찾아내는 시간이다. 과정 중심 평가를 어떻게 하는지, 조별 구성은 어떻게 하는지, 동료평가를 하면 평가 점수 비중은 어떻게 하는지 등이다. 일부 학생은 적극적으로 참여하는 모습을 보게 된다. 내 수업 시간은 참여를 잘 하지 않았는데 참 기특하다고 생각한다.

교사는 척척박사이다. 못해도 잘하는 척, 잘해도 못하는 척, 아는 척 잘난 척 똑똑한 척, 알면서도 모르는 척, 없으나 있으나 가진 척한다. 오늘의 수업 나눔이 선생님의 수업에 도움이 되었기를 바랄 뿐이다. 함께하고 있다는 점에 감사하다. 학교에는 집단 지성이 필요한 이유다. 실제로 배울 게 많으니 공부해야 한다. 그래야 오래 교사를 행복하게 한다.

교사는 많은 업무로 인하여 하루가 정신없이 지나간다. 일상 수업을 시간과 노력을 들여 공개수업 후 함께 고민을 나눈다. 그렇지만 학교에서 수업 문화를 스스로 개선하려는 교사들이 증가하고 있다. 교사는 수업 전문성을 신장하는 게 제일이기 때문이다. 공개수업과 수업 나눔은 역지사지를 경험하는 좋은 기회이다.

교육실습생은 미래 교사이다

교육실습생의 모든 것. 간단하게 말하면 교생이라고 한다.

교생(教生)은 예비 교사이다. 교육실습은 교사 양성 과정의 꽃으로 불린다. 학교에서 교사 경험을 통해 필요한 것을 배우는 기회다. 학교에는 대학 4학년의 현장 실습을 하게 된다. 처음엔 다소 어색하다. "낯선 학교" "설렘과 두려움", "낯선 학생들"을 경험한다. 조회와 종례 참석, 수업 참관을 시작하기에 바쁘다.

교생 업무는 교육실습생은 학교 현장에서 교과 지도 보조와 생활지도 보조, 학급경영 보조, 행정업무 보조 등을 담당하게 된다. 체육대회 참관, 시험 감독 등 학교행사에 참여할 수 있다. 교생 담당 교사가 정해지고 학급 배정을 하며 업무별 부장 교사가 가르치게 된다. 실습학교의 교사 및 다른 교사와의 관계에서 배우는 자세가 기본이다.

교육실습은 현재 대부분 4주간의 과정으로 진행된다. 예비교사로 제대로 배우기에는 기간이 짧다. 회사의 인턴처럼, 3~6개월간 구체적인 경험하는 제도를 바란다.

교생 실습은 실습 기간도 늘리고, 교생에게 내실 있는 교육이 되길 기대한다.

교육실습생은 담당 교사의 구체적인 안내에 따라 수업한다. 교생은 미래의 교사이다. 교생 기간 배움을 마치고 교사 되는 과정의 실습이라 제대로 가르치고 싶지만 만만치 않다. 혹시나 꼰대 교사의 잔소리라 여길까 걱정이다. 그렇지만 요즘 교생은 대부분 열심히 잘한다. 교육실습생은 학교에서 4주를 실습한다. 4주간의 지도계획 일부 사례 예시이다.

	실습 주제	비고
1주	학교 교육 안내 및 부서별 운영	부서
2주	교육과정과 학생 상담	부서
3주	수업 참관 및 수업 지도안 작성	담임교사
4주	교생 공개수업 및 총평	전체

교육실습생은 학교 전반적인 운영 과정과 수업 참관한다. 수업을 계획하고 수업을 공개하며 수업에 대한 협의회를 거친다. 수업은 교사의 주 업무이기 때문이다.

신규교사는 열정과 사랑이다

신규교사는 모든 게 새롭다.

첫 발령이고 첫 수업, 첫 인사말, 첫날 복장과 자세 등 모든 것이 걱정이다. 대학교에서 배웠다고 하지만 새내기 직장인의 첫날이다. 신바람 나는 시작 일이다.

신규교사도 교육 전문가이다. 학교에서 학생을 가르치는 교사다. 초임 교사나 신규교사는 학생들과 고경력 교사의 중간 세대다.

교사로서 갖추어야 할 기본 요건 제1순위는 열정이다. 제아무리 수업기술이 뛰어나고 남들보다 우수한 능력을 지녔다 해도 사랑과 열정이 없으면 걱정된다. 다음으로 중요시해야 할 것은 수업이다. 효율적인 수업기술을 지니기 위해 끊임없는 연수와 다른 교사의 수업 참관이 제일이다.

또한 경력 교사에 질문하면서 묻고 지내는 게 현명한 방법이다. 신규교사의 자존심을 내 세울 필요 없다, 무조건 묻는 게 정답이다. 혹시 나를 실력이 없다고 하지 않을까 걱정하지 마라. 신규인데 무엇이 걱정인가.

3장 수업 나눔에 대하여

신규교사는 꾸준한 노력이 제일이다. 모든 일이 낯설고 처음 하는 일이지만 다 할 수 있다. 너무 걱정하지 않아도 된다. 모르면 주변의 교사에게 물어보면 되고 실수해도 다음부터 잘하면 된다. 자신감을 가지고 당당하게 임하면 된다.

교사는 무조건 잘 가르치면 제일이다. 학생들이 감사함을 모른다고 속상해할 필요는 없다. 내가 내 일을 하는 거다. 그리고 베푸는 것에 기쁨을 느끼는 것이다. 학생들과 관계는 경계를 세우지 못하고 너무 다가가는 경우가 빈번하다. 학교에서 위계질서를 지키면 손해날 건 없다.

또한 교사의 솔선수범과 올바른 언어 행동이다. 학생들에게 꿈과 사랑을 주듯이 신규교사도 마찬가지다. 신규교사의 열정과 사랑은 지속해야 하는 사명이다. 사랑과 열정으로 지내는 교사는 행복한 성공을 맛보게 될 가능성이 크다. 참관 수업 그대로 따라 한다고 해서 내 수업이 잘 이루어지는 것은 아니다. 교사의 열정과 자신감이 우선이다.

수석교사는 멘토링을 한다. 수석교사는 멘토가 되어 신규교사의 수업 향상에 지속적인 교수와 연구 활동을 지원한다, 주기적으로 수업 나눔을 하고, 만나 상담한다. 이때 신규교사는 수석교사가 나이와 경력이 많아 어렵게 느끼고 솔직하게 상담하면 좋으련만 그렇지 못한 경험도 많다.

교사의 교수·연구 활동을 지원하는 게 수석교사의 주 업무
이다. 수석교사는 매년 증가하는 기간제 교사, 신규교사들의
전문성 향상에 도움 주고자 한다. 스스로 찾아와서 상담하면
좋으련만 어려운가 보다. 신규교사와 수석교사의 수업 컨설팅
과 수업 나눔은 학교 적응을 돕고 수업에서 개인의 성장을
지원하는 좋은 기회다. 신규교사의 수업 전문성 함양에 도움
이 되는 길이다.

　　"나 때는 말이야!" 이 말을 자주 하는 것 같다. 과거엔 일상
수업의 학습지도안을 교감까지 결재까지 받으면서 수업을 진
행했다. 수업 지도안과 본시 수업 내용이 달라지기도 했다.
이런 일은 현재 과거의 추억으로 되돌리고자 하지만 오늘날
교사는 학습지도안을 작성하는지 궁금하다.
　　누군가는 당연히 매일 수업에 대한 계획을 나름대로 세우
고 진행한다. 다만 과거와 비교하면 교사의 행정업무로 지도
안 작성할 시간이 부족하다. 교사는 초심을 갖고 열심히 하는
양심적인 학교생활을 믿는다.

　　　　3장 수업 나눔에 대하여

경력 교사는 베테랑이다

교사는 늘 서로서로 배우는 사람이다. '함께 가면 멀리 가고 혼자 가면 빨리 간다'는데 교직은 정말 갈 길이 멀다. 30~40년 해야 한다. 서로서로 격려하고 지지하고 함께하는 삶이다.

속담에 "세 사람이 함께 길을 가면 그중에 반드시 내 스승이 있다"라고 한다. 내 주변에 3명의 교사가 앉아 있다. 모두 내 스승이고 동료이다. 교직의 경험이 많은 경력자라면 더욱 감사할 일이다. 복이다. 많은 복을 타고난 것이다.

신규교사가 엊그제 같은데 몇 년 경험하면 그리 어렵지 않게 지내는 게 교사다. 작년엔 하면서 마음가짐이 새롭다.

교직은 평균 4~5년마다 학교를 옮기게 된다. 첫 발령을 받고 배우고 익히는 시간이다. 주변 교사에게 간접 경험을 많이 하길 권장한다. 서로 질문하고 수업 참관 요청하고 배우는 게 금상첨화이다. 힘든 것 마찬가지다.

교사는 수업도 그렇고 행정업무도 잘 해내고 있다. 학교에 발령받아 일정 기간이 지나면 1정 연수를 통해 1급 정교사 자격증을 받을 수 있다. 기간은 지역교육청마다 다르며 발령 후 3~5년 정도 후 1정 연수 대상자가 된다. 1급 정교사가 되면 우선 마음가짐이 달라진다. 1급 정교사 되면 1호봉이 오르며, 학교에서는 부장 교사를 할 수 있다.

교사가 열정이 있기에 수업에 재미를 느낄 수 있다. 또한 과한 지식을 가르칠 수 있게 된다. 교과 지식을 학문적으로 설명보다는 학생들의 관심과 이해 여부를 한번 점검하길 바란다.

중견 교사의 수업은 색다름이다

학교에서 중견 교사는 중추적인 역할을 많이 하게 된다.

일반적으로 중견 교사는 1정 격과 함께 경험이 많은 5~15년 교사를 말한다. 부장 교사 경험한 교사도 있을 것이며 담임교사도 할 수 있다.

중견 교사는 학교에선 중추적인 역할을 하는 교사들이 대부분이다. 학교 행정업무에 치이다 보면 수업 시간을 지키기도 힘들 때가 많다.

동료 장학은 교사들이 부담스러워하고 귀찮아한다. 중견 교사니까 신경을 안 쓴다고 해도 공개수업이 있으면 신경이 쓰인다. 공개수업 준비하면서 내가 도움이 되면 다행이다. 무사히 마치면 안도감과 함께 편안함이다. 교직의 경험과 가치를 이해하고 존중하는 태도를 보여주어야 한다.

"십 년이면 강산도 변한다."라는 말이다. 시간이 흘러도 변하지 않을 것 같은 강과 산도 실은 조금씩 변한다. 요즘엔 강산을 개발하여 신도시 만들며 눈에 띄게 변하고 있다. 우리

주변에는 절대 변하지 않을 것 같은 일이 있지만, 오랜 시간이 지나면 결국 모두 변한다는 뜻이다.

10년을 한 단위로 보고 그사이에 사회가 엄청나게 변함을 뜻한다. 교직은 몇 연 단위로 바뀐다. 교육과정이 바뀌고 학생 수가 바뀌고 수업 시수가 변한다.

교사 10년이면 수업의 달인 되는 기간이다. 수업 중 떠들면 그 근처로 가서 질문하면 해소된다. 졸리면 세수하고 오라고 한다. 단 수업에 적극적으로 참여하면 칭찬하거나 격려하는 게 수업기술이다.

학생을 가르치는 경험도 많고, 수업의 다양화에 가르치는 일도 많이 했다.

3장 수업 나눔에 대하여

고경력 교사의 수업은 기다림이다

    교사 경력 20~30년이면 고경력 교사라고 할 수 있다,

    고경력 교사는 오랜 기간 수업하면서 많은 비법을 가지고 있다. 그뿐만 아니라 학교에서 부장 교사로 중추적인 임무를 수행한다. 고경력 교사들은 그동안 보이지 않는 노력을 해왔다. 최근에는 과도한 행정업무와 학교폭력, 행정업무 과중, 교권 침해 민원 등으로 몸살을 앓는 자리가 되었다. 고경력 교사들이 부장 보직을 꺼리다 보니 저 경력 교사가 부장을 맡는 경우도 많다.

    학교는 무엇 하는 곳인가?

    교사는 무엇 하는 사람인가?

    교사는 학교에서 수업한다. 저 경력 교사나 고경력 교사 모두 수업시수에 법적인 기준도 없다. 교직이 민주적이고 수평적인 구조라서, 다른 조직보다 업무 분담과 역할을 나누어서 한다. 같은 업무를 몇 년 하면 교직 행정업무의 전문가 된다.

교사도 지속적인 성장과 발전을 위해 공부해야 한다. 수업 참관이나 연수, 코칭은 한 번의 피드백으로 끝나는 것이 아니다. 일회성보다는 꾸준한 연찬과 지속적인 노력이 필요하다. 교사는 공부하며 기다림의 숙명을 지닌 사람이다. 교사의 자기 평가는 수업을 성찰하고, 개선을 도모하는 데 중요하다.

아프리카 속담에 "노인 한 사람의 인생은 도서관이다."라고 하지 않던가? 인생 경험은 지혜이고 배울 게 많은 보물창고다. 고경력 교사의 존중과 위상이 필요하다. 고경력자는 성공과 실패 경험을 제공하는 인생 멘토다. 세상 공부의 경험, 학생을 가르치는 경험이 많다. 지혜로운 자이고 존경받으며 존중받아야 할 대상이다. 고경력 교사는 베테랑이다. 또한 열정과 사랑을 지니며 초심을 잃지 말고 뒷심을 발휘할 기간이 남았다. 고경력 교사에게 제언한다. 그동안 수고 많으셨고 건강관리에 힘쓰시라 전하며 수고 많으셨고 감사하다고 전한다.

3장 수업 나눔에 대하여

교사 연수는 비타민이다

수석교사는 Helper다. 교사는 늘 공부한다. 수석교사 역할 중 학교 내외에서 교수 학습 관련 자료를 제공하거나 다양한 평가 방법을 연구하고 교사 연수를 한다.

오랫동안 동안 지역에서 여러 곳에서 다양한 강의를 했다. 단위 학교, 신규교사, 부장 정교사, 복직 예정자, 사립학교, 교육청 직무연수 등을 강의했다. 강의 만족도는 모른다. 교육과정 재구성, 수업 개선, 그리고 평가 관련 교육에서 선생님들을 만났다. 맞춤형 교육과정 재구성 실천 내용을 소개하고 과정 중심 평가와 학생 활동 중심 수업 중에 다양한 경험을 공유했다.

연수는 주로 일방적으로 전달 사항 전하듯이 강의하는 경우가 많았다. 교사 연수는 원하는 분야의 맞춤형 연수가 제일이다.

요즈음에는 교육청과 연수원에서의 좋은 연수가 많이 개설되어 있어 선택하여 연수하길 권장한다. 무료도 있고 교육청에서 지원하기도 하며 학교에서 연수비를 지원받을 수 있다.

교사는 배워서 남 주는 교육 현장의 실천가이고, 교수는 교육이론을 연구하고 미래 교사를 가르치는 이론가이다. 수석교사는 교육실천가이고 연구가이다. 수석교사는 교사의 열정에 불을 지피는 역할이다.

신규교사는 열정과 사랑이 충만하다. 이를 지속하도록 합심하고, 뒷심을 발휘하게 지원하는 것이다. 신규교사는 나라의 기둥이고 보배이다. 신규교사의 열정과 사랑은 으뜸이다. 다만 교직의 업무와 수업 경험 부족으로 시행착오를 거친다. 이를 해결하는 게 소통이다. 학교에는 수년부터 수십 년 고경력자가 함께 근무한다. 묻고 대화하면 다 해결된다. 그런데 요즘 질문하지 않으면 조언도 없는 학교 상황이다.

교사는 학생 가르치느라 수업과 업무가 많아 해결하기 바쁘다. 남을 챙겨줄 시간이 시간적인 여유가 별로 없다. 스트레스가 쌓인다.

학교는 교사 마음이 편안해야 교실에서 안정적으로 즐겁고 행복한 수업이 된다. 교사도 사람이고 인간이다. 교사가 모든 걸 다 알지 못한다. 따라서 교사 연수는 가장 좋은 경험이다. 배우면 알게 되고 알면 교사 생활에 도움이 된다. 내 교과의 전문성은 자신 있는데 다른 분야는 부족하다. 알고 있어도 이론과 실제는 달라서 공부해야 한다.

3장 수업 나눔에 대하여

교사는 간접 경험을 하는 집단지성이 필요하다. 선생님들과 질문을 하다 보면 배운 것이 더 많을 때도 있다. 강의나 연수는 예정 시간보다 짧게 하고, 연수 후엔 보람과 긍지를 느끼지만 늘 연구하고 공부한다. 교육현장은 대학에서 배운 이론과는 전혀 다르다. 미 성숙한 학생들은 어디로 튈지 모른다. 개구리 튀는 방향과 럭비공의 튀는 곳은 모른다.

교육은 다양한 경험이 필요하다. 수업시간 대처하는 능력은 하루아침에 저절로 배워지지 않기 때문이다. 교육은 기다림이고, 열심히 배우는 꾸준함이며, 배워 남 주는 탁월함을 지니는 숙명이다.

전문적 학습공동체는 집단지성이다

교사는 학교에서 가르치는 일을 한다. 가르치려면 전문적인 지식과 기술이 필요하다. 충분한 능력을 갖춘 교사가 있지만, 시대의 변화에 따라 알아야 할 지식도 있다.

교사들이 함께 학습하는 공동체를 만들어 집단지성을 펼치는 게 전문적인 학습을 하는 공동체이다. 학습공동체의 목적은 서로 돕고 화합하는 것이다. 수업을 개선하기 위한 기술과 방법을 공유하는 것이다, 상호 간 배우고, 열정과 가치를 나누는 모임이다. 과거엔 교과별로 모여서 했는데, 이제는 의무화되어가니 부작용도 생긴다.

각 학교와 교육청에는 교과 연구회가 있다. 각 교과교육 전문성을 항상 시킬 수 있는 모임이다. 수업에서 겪는 어려움을 나누면서 교사의 수업 성장을 기대하는 모임이다.

더 나아가 수업기술, 교수법, 수업 자료 공유, 수업 철학을 공유할 수 있다. 변화를 향한 공감대를 형성하여 큰 가치를 얻는다. 지금은 제대로 되어가는지도 궁금하다.

교과 연구회는 교과 전문성과 수업 정보를 공유하는 모임이다. 연구회 모임에는 참석하는 자도 있고, 참석하지 않은 때도 있다. 교사는 공부가 필수다. 함께하면 멀리 간다는 말이 있다. 이왕이면 교사들이 함께하면 배울 게 많다. 간접 경험은 인생을 깨닫게 하는 방법의 하나이다.

학교에서 한 학생의 문제점을 대놓고 공유하며 가르치는 게 학교다. 요즘 학생들은 가르치기가 어렵다고 한다. 그렇지만 나만 아니면 돼 라는 생각을 하는 경우가 있다. 함께 그 학생을 잘 지도해서 해결하는 게 학교다.

담임교사는 이런 경험 다 있다. 저자도 마찬가지다. 담임 시절에 문젯거리가 되는 학생이 강제 전학을 왔다. 가정방문도 하고 학생을 지도하는 데 신경이 쓰인다. 다행히 진급하고 진학했지만, 있을 땐 고민과 걱정이 많았다. 이런 경험해 보니 다 이해가 된다.

교사는 수업을 혼자 담당한다. 누가 도와준다면 더더욱 행복할 텐데 학생을 교실에서 혼자 가르친다. 문제가 생기면 어떻게 하지 고민하면서 각자도생이다. 따라서 수업 중에 생기는 문제점에 대한 해결 방안을 수업 경험자의 이야기를 통해 정보를 얻는다. 이런 게 학습공동체이다,

아프리카 속담에 "빨리 가려면 혼자 가고, 멀리 가려면 함께 가라"는 말이 있다. 같이 걸으면 시너지 효과가 있다. 같이 가면 격려가 되는 게 교사의 삶이다. 아름다운 동행, 함께라는 말은 교사의 마음을 행복하게 해준다. 다음 수업을 위한 디딤돌 역할이다. 서로 도와주는 것이 경험 많은 교사의 역할이다. 잔소리하는 꼰대 교사가 아니라 도와주는 교사이길 서로 바란다. 전문적 학습공동체는 행복한 교실 행복한 학교를 이루는 디딤돌이며 정석이다.

경력 많은 교사의 처신은 갈수록 힘들어진다. 꼰대 교사의 삶이다. 꼰대 교사 소리 들어도 당당하게 올바르게 가르치는 모습을 보여주는 거다. 따뜻한 꼰대 교사이길 바란다. 꼰대 교사가 할 수 있는 것은 격려하고, 칭찬하고 용기를 주는 것이다. 성장 과정을 지켜보고 기다리는 일이다.
꼰대 교사가 하지 말게 하나 있다.
수업 참관 후 지적질은 하지 말아야 한다. 지적질 대신에 솔선수범하는 교사의 태도이다.

교직 경험이 많으면 저절로 지식과 경륜이 늘게 된다면 좋은 일이다. 하지만 공부하지 않고 성찰하지 않으면 절대로 그렇지 않은 게 학교 현장이다.

3장 수업 나눔에 대하여

정시에 교실 들어가고 열정을 보여주는 게 경력 교사의 매력이다. 요즘 고경력 교사는 그래서 더욱 힘들다. 요즘 젊은 교사에겐 잔소리할 수 없는 상황이다. 후배 교사에겐 솔선수범이 교육이고, 잔소리하지 말고, 묻지 않는 조언은 백해무익하다고 한다. '나 때는 말이야'를 언급한 것은 꼰대질이었음을 인정하고 앞으로는 그리하지 않겠다고 다짐해 본다.

『한겨레 시사 칼럼』 꼰대가 되지 않기 위한 지침(이준행)의 좋은 어른이 되기 위한 '꼰대가 되지 않기 위한 6가지 지침'에 관한 글이다.[16]

1. 나이를 먼저 묻지 말라,
2. 함부로 호구조사를 하거나 삶에 참견하지 말라,
3. 자랑을 늘어놓지 말라,
4. '자식 같아서 조언하는데' 같은 수사는 붙이지 말라,
5. 나이나 지위로 대우받으려 하지 마라,
6. 언제든 꼰대가 될 수 있음을 인정해라.

누구나 꼰대가 된다. 다만 스스로가 언제든 꼰대가 될 수 있음을 인정하라는 것이다. 꼰대가 모두 나쁘다는 게 아니라 꼰대 소리를 듣지 않는 게 더 나은 삶이다.

---

[16] 한겨레 시사 칼럼 꼰대가 되지 않기 위한 지침 / 이준행
https://www.hani.co.kr/arti/opinion/column/727601.html

과거나 현재는 행정업무 중심의 학교였다. 미래에는 행정업무는 당연히 축소되고 수업에 전념하는 미래 학교를 바란다.

　신규교사나 경력 교사, 수석교사도 수업하는 삶이다. 교사의 근본은 누가 뭐래도 수업이 생명이다. 교사의 주도성이 학교와 교실에서 발휘되기 위해 교사의 전문성과 자율성이 보장되어야 한다. 국가는 존중과 보상이 보장되어야 한다. 또한 교사는 학교 교실에서 수업이 행복해지려면 변해야 한다.

　전문적 학습공동체 활동은 수업 공개와 수업 나눔이 일상화되는 학교를 소망한다. 상호 간 배우고, 소통하는 교사이길 바란다. 열정과 가치를 나누는 모임을 바란다. 서로 돕고 정보를 나누며 화합하길 기대한다.
　전문적 학습공동체는 수업을 개선하기 위한 기술과 방법을 공유하는 것이다, 회원간 수업 나눔은 반면교사이고 역지사지고 교학상장이다.

교원 평가 이대로 좋은가?

수업을 누가 평가하는가?

수업 평가할 전문적인 능력과 지식이 있을까?

교실에서 그냥 수업 장면을 쳐다보면 그게 수업 평가인가?

교원 평가는 교사 평가가 아니다. 교사의 가르침에 대한 수업을 관찰하는 일이다. 구체적인 항목이 중요하다. 수업 평가는 학습 목표의 달성 여부, 학생 개개인의 맞춤형 학습의 상태, 교사의 전체적인 수업 분위기, 학습 목표의 확인, 수업 내용의 구조화, 핵심역량 달성 등 매우 다양하다. 이를 전문적으로 분석하는 게 수업 평가이다.

교사는 미성년자 어린 학생을 가르친다. 미성년자가 가르치는 교사를 어떻게 평가할지 모른다. 다만 일부 학생은 인기도의 평가거나 개인의 신상에 대해 평가한다. 1년간 가르친 결과를 평가하는 것인데 자신을 가르친 교사의 평가는 인기 평가가 되었다. 교사로서 자괴감과 허탈함을 느낀다. 교원 평가가 잘 나오면 우수한 교사고, 미흡하면 그렇지 못한 교사인가. 교원 평가 제도는 폐지가 답이다.

교원 평가는 2010년 학교교육 경쟁력 제고를 위한 학생, 학부모의 의견 반영을 위해 전면 도입됐다.

교원 평가는 교사의 전문성 향상과 학생들의 올바른 교육을 했는지를 평가해야 한다. 국민의 표를 의식해 만들어진 것이니 이제 인공지능 시대 디지털 시대에 걸맞은 평가가 중요하다. 교육의 질은 교사의 질을 넘지 못한다고 한다. 교육 내용의 평가를 교감이나 교장이 한다면 신뢰도의 문제이다. 수업하지 않는 교감이나 교장이 수업을 평가할 능력은 있지만, 수업은 동료 교사가 잘 안다,

교사의 수업 평가 대안은 평소 수업 전문가나 동료 교사에게 수업 공개 일상화가 답이다. 학생이나 교사가 스스로 성장하는 시스템이 중요하다. 수석교사가 있으면 이를 활용하거나, 수업과 행정업무의 이원화가 필요하다. 현재 학교 문제가 많이 증가하고 있다. 알면서도 못하는 게 이해 못 하는 교육부이다. 학생들의 교육적 훈계가 필요한데 가르치지 못하는 상태이다. 교사의 인기도가 되어 버린 평가 문제가 많다.

학부모 평가도 문제다. 학교에 한 번 와서 수업을 보고 교사를 평가하나? 잘못된 제도 빨리 고쳐라. 빨리 폐지하는 게 교육을 정상화하는 것이다.

3장 수업 나눔에 대하여

교사가 좋은 수업을 하는 비법이다.

첫째, 다른 교사의 수업을 참관하는 게 우선이다.

둘째, 내가 직접 공개수업을 한다.

셋째, 수업 나눔을 한다. 이런 과정을 반복하면, 수업 노하우가 성장하고 자신감이 생기며 자랑스럽다. 동료 교사에 수업 공개의 일상화다. 수업 나눔과 수업 전문적 학습공동체 활동이 일상이 되면 학교에서 행복한 수업이 된다.

더 나아지고 있는가?

더 성장하고 발전하는가?

교사를 홀대하거나 무시하면 누구에게 영향이 미칠까?

교사의 가르침에 간섭이 웬 말이냐?

내 자식도 가르치기 힘든 데 남의 자식들을 가르치는 게 교사다. 교사는 자존감과 자존심으로 먹고산다. 희생과 봉사, 책임감 사명감으로 가르치도록 보상하라. 존경을 바라지 않지만, 상호 존중을 원한다.

수업 나눔은 관찰이다

　교사는 신규교사 저 경력 교사의 수업을 참관하고 수업 컨설팅을 하게 된다. 교사의 공개수업을 참관하기가 불편한 점도 많다. 요즈음 선생님들은 자기 주도성이 뛰어나서 대부분 잘한다. 수업 분석표에 근거한 관찰이다.

　수업 컨설팅 분석표에 의하면 일부 조언도 필요한 사항이 눈에 띈다. 수업 참관은 학부모 공개수업 날짜나 자율 장학 때 주로 한다. 교실 상황과 학생 참여 태도 등을 구체적으로 잘 관찰하려면 교사와 학생에게 집중하여야 한다. 수업 참관은 사실 수업하시는 분만큼 까다롭고 힘들다.

　교사가 수업을 마치고 교실을 나올 때 스스로 만족한다. 학생들의 수업 만족도는 잘 모른다. 무엇을 만족한다는 기준이 모호하다. 학습 목표 달성인지, 교과 역량 함양인지. 인기인지 잘 모른다. 교사는 학생과 상호작용하고 활동적인 수업 계획을 세워 차분하게 진행한다. 수업 참관의 본질은 학습 목표 달성이 우선임을 확인하고 완전 학습을 유도하는지 관찰할 뿐이다.

학교 종이 울린다. 그러면 교실 수업 참관은 마치게 된다. 수업 참견의 관찰 사항의 하나인 학생들의 반응을 보면 알 수 있다.

평소에는 어떻게 수업하는지, 오늘따라 특별하게 수업하는지 궁금하다. 학습 목표 달성하면 성공적인 수업이다.

알베르트 아인슈타인은 "어제로부터 배우고, 오늘을 위해서 사십시오. 가장 중요한 것은 질문을 멈추지 않는 것입니다."라고 말해 배움과 질문의 중요성을 강조했다. 모르면 무조건 묻는 게 공부에 좋은 방법이다. 수업 나눔 시간에 서로 질문하며 정보를 공유한다.

수업에는 교사의 가치관과 철학이 있어야 한다. 수업의 형식과 방법은 차선이고 학생과의 긍정적인 관계와 상호작용이 중요하다. 수업 참관 후의 처음 대화엔 교육 철학을 묻고 답하는 경우가 많다. 우리가 함께 학생 교육에 노력하고 있다는 것을 서로 대화하는 것이다. 공개수업에 고생이 많았다는 격려의 시작이다. 전문성 신장은 교사의 책무이고 의무다. 교사는 미래 인재를 양성하는 지도자이다.

"교육의 질은 교사의 질을 뛰어넘을 수 없다."라고 하는데 "교육 환경의 질은 누구에게 달려있을까?" 묻는다.

영국의 철학자이자 수학자인 앨프리드 화이트헤드(Alfred North Whitehead)는 "보통 교사는 지껄인다. 좋은 교사는 잘 가르친다. 훌륭한 교사는 스스로 해보인다. 위대한 교사는 가슴에 불을 지른다."라고 언급했다. 읽을수록 볼수록 이는 참으로 나를 깨닫게 한다. 갖추어야 할 사랑과 열정을 생각하게 한다. 상대에게 가슴에 불을 지르는 방법을 가슴에 품고 싶다. 모든 일에 열정을 유지하자고 다시 다짐해 본다.

수업 시간은 학생에게 개념과 원리를 설명하는 시간이다. 설명을 차분히 듣는다면 모두 이해할 수 있는 내용인데, 딴생각이나 딴짓하는 학생이 있다. 수업 시간은 배우고 익히는 일이다. 학습 효과를 극대화하기 위해 상호작용이 중요하다. 궁금한 사항 의문 생기는 사항을 질문하면서 해결하는 시간이다.

수업 전 좋은 수업을 위해 프린트물 준비하고 교실로 간다. 어찌 이런 일이. 학생들은 학습할 준비가 안 되어 있다. 그래도 "괜찮다." 생각하고 즐겁게 재미있게 의미 있는 수업을 위해 최선을 다하는 게 교사다. 수업 준비 잘하고 열심히 하는데 학생들이 수업에 참여를 안 하면 속상하고 괴로울 때도 있다. 이제 마음을 다진다. 다시 힘내자 마음먹는다. "다 그런 거지 뭐"하고 다시 시작한다. 교사는 인내하고 버티는 게 제일이다.

3장 수업 나눔에 대하여

어떻게 하지?

수업 나눔은 성장의 밑거름이 된다. 보여주기식의 수업은 이제 마감하고, 즐겁게 하는 자율적인 수업 컨설팅으로 전환하길 바란다. 그렇다고 보여주기식의 수업이 나쁜 것만은 아니다. 오히려 보여주려고 연구하다 보면 스스로 성장하고 깨닫게 되는 게 수업 나눔이다.

수업 참관 후에는 각자 자신의 수업 고민을 찾고 서로의 생각을 나누고 함께 토의하며 성찰하는 과정을 거친다. 겸손한 태도와 마음가짐으로, 자신의 부족한 부분을 돌아보는 교사가 발전한다.

수업 나눔은 티칭이고 코칭이다

수업 참관은 수업 관찰을 철저하게 해야 한다.

교사의 수업 설계 과정에 대한 수고와 고생에 대하여 생각하고 학생들의 수업 참여도를 살펴본다. 평소대로 하는 일반적인 수업 참관이 학생들의 수업 태도를 살펴보는 기회지만 일반적인 수업 공개는 꺼린다.

이 수업을 왜 하는가?

무엇을 위한 수업인가?

수업은 수업 설계 과정을 꼼꼼하게 살핀다. 교사의 내면, 수업유형, 학생의 배움, 교사와 학생과의 관계성을 살핀다. 수업 시간 학생 관찰은 집중하여 특징을 파악한다.

학습 목표 도달 여부, 교육과정 구성 수준을 관찰한다.

교수·학습 방법과 학습의 동기유발 방법 및 학생들 집중과 발문 방법 등을 구체적으로 관찰하고 기록한다. 교실의 수업 참관은 수업을 보는 게 아니라 수업을 참견하려는 것이다.

3장 수업 나눔에 대하여

그동안 초·중·고등학교의 수업 참관을 한 관찰 관점이다.

초등학교 수업의 전부가 아니라 극히 일부라는 점을 강조한다. 참관 수업은 활동 중심 수업과 발표 수업이 대부분이다. 초등학생들의 자신감과 교사의 열정과 사랑을 참관하면 짐작이 간다. 게임 형식의 수업도 많고 표현하는 활동, 메이커 활동 등 다양하다. 교사의 수업 디자인 능력과 준비 과정이 중요함을 알게 되었다. 다만 교과 지식의 구조화에 어느 정도 달성되었는지 평가가 아쉽다.

초등학교는 비교하는 평가가 없어서 자신의 학업 수준의 능력을 잘 모른다. 그렇다고 초등학교 학습 능력이 평생을 좌우하진 않는다는 사실은 어른들은 다 안다. 다만 초등학교 시절부터 학습 습관은 평생을 좌우할 수 있다. 따라서 학습의 호기심이 중요한 게 초등학교이다.

중학교는 교과에 따라 정말 다양하다. 동 교과 선생님들은 수업의 방법 및 교과 지식과 수업 기능 면에서 살펴보고 서로 도움을 받는다. 일부지만 공개수업 하는데도 불구하고 떠들거나 장난치는 학생들이 있다는 게 너무 신기하다. 중학교에서 수업하기 힘들다는 이야기를 실감한다. 남녀 공학, 남학교, 여학교의 수업 태도의 차이는 크다.

고등학교는 대부분 대학입시와 관련이 많아서 지식의 구조화 및 평가에 중점을 두고 수업을 많이 한다. 일부 진로 과목이나, 기술 수업 등 특별한 수업에서는 표현하고 만들고 발표하는 과정도 눈에 띈다.

교사의 공개수업은 수업 디자인 노력이 수업 성공 여부를 결정한다. 객관식 시험이 공정하다고 여기며 지금도 유지하는 우리나라이다. 과연 이게 좋은 것인가 묻지 않을 수 없다. 대학은 곧 미래 직업과 연관이 크기 때문에 입시는 곧 교육이 되었다.

학교 교육에서 주입식, 암기식 교육에서 탈피해 수행평가, 토론, 논술 방식의 과정 중심 교과과정을 지향한다. 다만 일부 교과는 과거나 현재나 여전히 일회성 평가를 하고 있다.

IB가 도입되어 활용하는 교육청이 있다. 대학 입학시험에서 좋은 성과를 내지만, 예산이 모든 학교에 공정하게 지원되길 기대한다.

3장 수업 나눔에 대하여

수업 나눔은 집단지성이다

   수석교사는 신규교사나 저경력 교사의 수업을 참관하고 수업 컨설팅을 하게 된다. 교사의 공개수업을 참관하기가 불편한 점도 많다. 요즈음 선생님들은 자기 주도성이 뛰어나서 잘한다.

   수업 분석표에 근거한 관찰이다. 수업 컨설팅 분석표에 의하면 일부 조언도 필요한 사항이 눈에 띈다. 수업 참관은 학부모 공개수업 날짜나 자율 장학 때 주로 한다. 교실 상황과 학생 참여 태도 등을 구체적으로 잘 관찰하려면 교사와 학생에게 집중하여야 한다. 수업 참관은 사실 수업하시는 분만큼 까다롭고 힘들다.

   수업을 관찰하고 나면 수석교사와 수업 공개 교사의 대화 시간을 가진다. 수업 후 좋은 점과 개선점을 알리는 상황에서 동상이몽을 느낀다. 학생을 가르치는 같은 처지에 있는데 속생각은 서로 다를 수 있다는 뜻이다. 수업 후 각자 느낌과 배운 점과 생각은 항상 다르다. 어쩔 수 없는 현상이다.

   요즈음에는 수업 컨설팅 또는 수업 나눔으로 표현한다.

과거에는 수업 장학이라 하여 교장, 교감, 부장 교사, 교과 담당 교사 모두 참석하였다. 수업 공개 후의 수업 나눔 대화에 좋은 경험을 한 교사는 거의 없을 것이다. 이유는 언급하지 않아도 공감할 것이다. 그래서 공개수업을 꺼리는 분위기가 많다. 요즈음에는 자율 장학 때문에 수업 참관을 자주 한다. 수업 후 잘한 점을 칭찬하고 수업 컨설팅을 하는 경우가 많다. 실제로는 수업 참관이 아니고 수업 참견을 해야 한다. 수업을 자세히 보아야 참견할 것도 많다.

천호성 도서 《수업 분석의 방법과 실제》에서 수업 분석의 3가지 원칙을 제시했다. "수업 분석의 원칙은 첫째, 사실에 근거한다. 둘째, 다면적으로 검토한다. 셋째, 알 수 있도록 표현한다."라고 제시했다. 수업 후 수업 나눔에서 공유해야 할 사항이다. 수업 중에 일어나는 교사 활동, 학생들의 태도 관찰, 수업에 관한 정보의 공유를 통해 서로 성장하는 것이다. 교사는 왜 이 수업을 하게 되었는가 의도를 파악하고, 수업 후 알게 된 깨달은 점과 수업을 통해 배운 점을 의사소통하는 과정이다.

학교에서도 공개수업 후 수업 나눔을 한다. 수업 참관과 수업 나눔 시간은 교사들이 상호 정보교환 하는 가치 있는 시간이다. 의사가 수술하면 여럿이 관찰하고 의술을 배운다. 수술 장면을 관찰하고 방법을 자세하게 본다. 이후 회의 세미나

3장 수업 나눔에 대하여

워크숍에서 질문하고 배우게 되면서 전문성을 향상한다. 교직의 간접 경험을 나누는 시간이 수업 분석이고 수업 나눔이다.

체스터 필드는 "모르는 점에 관해서는 그것에 정통한 사려 깊은 인물에게 물어보는 것이 제일이다. 책은 아무리 자세히 기록되어 있더라도, 거기에서 완벽한 정보를 얻기란 어렵다." 라고 했다.

질문은 궁금증의 해결이며, 배움의 출발점이다. 빠르게 배워 알 수 있는 최고의 방법이다. 모른다고 하면 부끄러워 질문을 거의 하지 않는 게 일부 교사의 행동이다. 알면서 모른 척하거나, 모르면서 아는 척을 하면서 지내는 게 교사다. 기초적인 질문이 부끄러워 혼자서 해결하려고 끙끙 앓다가 걱정만 한다. 용기를 내어 질문을 하면 해결 방법이 나올 수 있다. 질문을 부끄러워하지 말라. 서로 배우는 교학상장이다. 수업 나눔 시간에 배우는 게 너무 많다. 교사의 수업 나눔은 집단 지성의 힘이 된다.

수석교사의 수업나눔

수석교사도 모르는 것이 많으며, 학생들의 질문에 모든 걸 알려줄 수 없다. 스스로 생각하고 궁리하고 탐구하게 가르친 다면 좋은 방법이다. 탐구하는 태도와 자세를 강조하지만, 정답을 빠르게 요구하는 경우가 많다.

2011년 수석교사제가 법제화됐다. '초·중등교육법'에 수석교사 직급 구분을 명시했다. 교육과학기술부는 현행 일원화된 교원 승진 체제를 교수 경로와 행정관리 경로로 이원화 체제로 개편하려는 것이다. 교장, 교감의 관리직 승진 구조에서 교사에서 수석교사로 직급을 옮기는 교수직이 신설된 것이다.

수석교사(首席敎師, Master Teacher)는 유치원이나 초·중등학교에서 교장, 교감 등의 관리직이 아닌 교사로서 취득할 수 있는 최고의 전문적 자격을 소유한 교사이다. 후배 교사들에게 수업에 대한 컨설팅하는 수업 전문가다. 교과 및 수업 전문성이 뛰어나기에 선발되었다.

수석교사 우대 사항으로는 일반교사의 절반 이하를 수업하며, 월 수석교사 연구활동비(40만 원)를 받는다. 다른 분야의 수당은 다 올랐는데 현재 12년째 동결이다.

수석교사는 자신의 전문성을 다른 교사와 공유할 수 있는 의지와 역량을 가진 교사이다. 수석교사는 본인 수업을 하면서, 동료 교사의 교수·학습을 지원한다. 교육실천가로서 학생교육에 대한 열정과 사랑, 연구하고 노력하는 수석교사는 자랑스럽다고 생각한다. 학생 교육의 본보기이며 등불이 되도록 노력한다.

수석교사는 수업을 공개한다.

수석교사로서 수업 공개할 때 외부 공개수업 경우엔 지역 인근의 학교에 공개수업 공문을 발송한다. 동 교과 선생님께서 많은 참관을 하고 상호 간 수업 경험을 공유하는 시간을 가진다. 요즈음에는 주로 저 경력 교사, 신규 멘토 교사에게는 필수로 참관하도록 하여 수업 공개 참관 기회를 제공한다.

수업의 질은 수석교사의 역량에 따라 다르다. 교내 교사에게 연중 상시 공개수업을 원칙으로 하고 있다. 대부분 수석교사는 외부 공개수업도 한다. 수업을 연구하고 보여주고, 알려주고, 버티는 게 괜찮은 수석교사이다.

수석교사는 교수·연구 활동 지원한다. 수석교사는 단위 학교와 시도교육청의 상황에 따라 주어진 교수·연구 활동을 지원한다. 교사를 지원한 활동의 일부 사례를 제공한다.

　수업 참관을 희망하고자 하는 교사는 언제든지 안내하고 수업 나눔을 한다. 수업 컨설팅을 지원하고 수업기술을 전수하려고 노력하고 있다. 수석교사는 좋은 수업을 공개하여 보여주든지, 연수 시 강의로 전하든지, 책을 출판하여 글로 전하는 방법을 택하여 퇴직까지 최선을 다한다.

　수석교사가 근무하는 학교가 있고, 수석교사 없는 학교가 있다면 공평한 것인가?

　수석교사가 모든 학교에 배치되길 바란다. 수석교사의 필요성이다. 학급당 학생 수가 다르고 교사의 수업 시간 수가 다르다. 다름에 대한 인센티브가 있어야 한다. 공교육은 공평하고 공정해야 신뢰를 얻는다.

　수석교사는 수업을 공개한다. 수석교사의 일상 수업은 늘 공개이며 특별한 수업은 교내 및 교외 공개수업을 매년 한다.

　수석교사의 필수 직무 중 중요한 하나는 본인의 교과 수업 공개이다. 소속 학교 내·외 동료 교사에게 상시 수업을 공개하여야 한다. 그뿐만 아니라 교외 공개수업도 실시한다. 매년 교내 수업과 교외 수업을 공개하고 있다.

　3장 수업 나눔에 대하여

교내수업 공개의 경우에는 수업에 참관하고 수업 협의회를 실시한다. 수업 참관은 주로 자발성을 위주로 하며 저 경력 교사, 신규교사가 참관하길 바라지만 고경력 교사와 적극적인 교사도 참관하는 것을 많이 경험했다. 수업을 자세히 보고, 관찰하고, 듣고 나누는 게 공개수업 참관의 장점이다. 어쩌다 하는 공개수업은 늘 힘들다.

　매일 하는 수업이지만 다른 선생님과 함께 수업 공개에 대한 부담감을 늘 있다. 교사 상호 간 공개수업하고 수업 개선을 할 수 있는 다양한 방법을 끊임없이 연구하느라 또한 바쁘다. 서로 수업을 관찰할 기회를 적극적으로 나누어 공개수업을 많이 한다. 수업 후 교육철학과 수업 나눔을 하면 서로 도움이 될 수 있다.

　공개수업 후 참관 교사에게는 상호 간 질문을 한다. 수업을 통해 내가 배운 것, 수업을 보면서 궁금한 것 질문하거나 참관록 작성을 요구하며 수업 나눔 행사를 하며 지낸다. 교사의 열정과 학생에 대한 사랑을 느낀다. 수업 교사는 인정해 주고 지지해 준다.

　학생들의 배움 과정에 대한 나눔과 수업 나눔을 통해 내가 배운 것, 내가 도전해 보고 싶은 도전 과제, 수업을 보면서 궁금한 것 등을 상호 간 정보를 공유한다.

의사도 수술 장면을 서로 공개하며 수술 후 함께 협의회를 통해 서로 배운다. 모르는 사항을 알게 되고 경험을 공유한다. 의사 전문성은 이럴 때 향상된다.

이 세상엔 좋은 수업은 따로 있는 게 아니다. 다만 좋은 수업은 마음먹기에 달려있다. 교사인 내가 연구하고 실천하기 나름이다. 좋은 수업을 연구하고 실천하는 좋은 교사 되면, 좋은 미래가 나를 반긴다. Change는 Chance이다. 내 미래는 내가 개척한다.

교사도 함께 모여 수업 후의 나눔이 매우 중요하다. 그러나 시간이 없다는 이유로 너무 빨리 끝나는 경우도 발생한다. 공개수업은 교학상장이요 반면교사이다.

행복학교 시작은 나눔이다

교사와 학생 관찰 사항의 수업 컨설팅의 일부 내용이다.

교사의 태도와 자세, 교사의 표정, 교사의 행동과 위치, 교사의 시선, 학생의 반응, 학생의 질문, 교사의 질문과 대답, 학생의 질문과 이해 여부, 수업 중 학생 개인별 맞춤형 수업, 교사의 형성평가, 교사의 맞춤형 수업 등 관찰할 사항이 많다. 이를 자세하고 구체적으로 살펴보는 게 수업 참관이다. 이를 종합적으로 분석하여 컨설팅하는 게 수업 컨설팅 정석이다.

서로 수업을 관찰할 기회를 적극적으로 나누어 수업 후 교육철학과 수업 나눔을 하면 서로 도움이 될 수 있다. 공개수업 후 참관 교사에게는 상호 간 질문을 한다. 수업을 통해 내가 배운 것, 수업을 보면서 궁금한 것 질문하거나 참관록 작성을 요구하며 수업 내용을 서로 나누며 지낸다. 교사의 열정과 학생에 대한 사랑을 느낀다. 수업을 공개한 교사는 준비와 노고에 인정해 주고 지지해 준다.

[수업 참관록 예시]

교과명		단원명	
수업 교사		대상	
일시	20 년 월 일 요일 교시		
참관 교사	소속 :	성명 :	

구분		참관 관점	특기 사항
수업 설계		○ 교육과정을 재구성하여 성취 기준을 달성하고 문제해결력이 신장하도록 수업을 설계하였는가? ○ 학습자 진단분석을 바탕으로 학생들에게 배움이 일어나는 수업이 되도록 설계하였는가? ○ 학생-학생, 교사-학생이 생각을 주고받으며 서로의 협력을 통해 지식이 창조되도록 수업을 설계하였는가?	
수업활동	학습자의 배움 학생 활동	○ 학생들은 학습 내용과 맥락을 이해하고 있는가? ○ 흥미와 호기심이 지속해서 일어나는 학습활동이 이루어지고 있는가? ○ 학생들이 학습 과정에 능동적이며 민주적인 자세로 참여하고 있는가? ○ 학생들이 탐구 주제 및 과제 해결을 위해 자신의 생각을 표현하고 있는가? ○ 학생-학생 간 협동적인 배움이 일어나며 활발한 소통과 공감이 이루어지고 있는가? ○ 학습과 관련한 의미 있는 학생(모둠) 활동이 이루어지고 있는가?	
	교사의 활동	○ 학생 한 명 한 명에게 주목하며, 수업을 통해 학습과 성장이 이루어질 수 있도록 도움을 주고 있는가? ○ 확산적 사고를 길러주는 발문을 통해, 생각을 주고받으며 함께 지식을 만들어 가고 있는가? ○ 수업 과정에서 협력적인 배움과 나눔이 일어나도록 지원하고 있는가? ○ 학생들이 비판적인 사고 및 탐구를 통해 자신의 생각을 만들어 갈 수 있도록 기회를 제공하고 있는가? ○ 삶과 수업을 연결 지으며, 수용과 격려가 이루어지는 학습 과정이 되고 있는가?	
수업 총평		○ 학생들에게 배움이 일어나는 수업이었는가? ○ 학생-학생, 교사-학생 간, 경청 및 상호교류가 잘 이루어졌는가? ○ 수업 과정에서 배움의 변화를 확인하고 과정 및 결과에 대한 피드백이 이루어졌는가? ○ 수업 과정에서 교사 자신도 배움과 성장이 이루어지는 수업이었는가?	
수업 나눔	수업을 보면서 궁금한 점과 배운 점		

공개수업의 이유는?

첫째, 교과 역량 함양하고 학생 능력을 함양하기 위함이다.
둘째, 학습 목표 달성이다.
셋째, 학생의 학습 태도 향상이다.
학교에서는 공개수업을 많이 한다. 교육의 질 향상을 목적으로 하는 것이다.

공개수업 후에는 학생들의 배움 과정에 대한 나눔을 한다.
요즈음에는 주로 저 경력 교사, 신규 멘토 교사에게는 필수로 참관하도록 하여 수업 공개 참관 기회를 제공한다. 또한 장시간 길게 대화할 수 있는 수업 나눔 시간이 짧아지고 있다. 수업 나눔을 통해 배운 것, 도전해 보고 싶은 도전 과제, 수업을 보면서 궁금한 것 등을 상호 간 정보를 공유한다. 그러나 시간이 없다는 이유로 너무 빨리 끝나는 경우도 발생한다. 최근에는 업무에 너무 바쁘고 참관하는 분이 적다.

교사는 힘들고 지칠 때가 많다. 서서 말하고 체력적으로 정신적으로 고되다. 이 사실을 다른 사람들은 잘 모른다. 대한민국의 교사로서, 행복한 교사로 살아가기를 기대한다.

학생에게 교육과 보육을 함께 하라고 한다. 가르칠 수업 시간과 업무는 더욱 늘어나는 데 인원을 줄이고 있다. 학교에서 열심히 가르치는 선생님께 존경은커녕 존중이라도 해준다면 다행이다.

우리나라의 교육 이념은 홍익인간이다. 인간을 널리 세상에 이롭게 하라는 의미다. 교육의 본질은 이럴진대 현 상황은 교육의 정체성 위기다. 위기를 극복할 답이 그리 간단치 않다.
인성교육과 창의성 교육의 중요성을 강조하지만, 실상은 입시 교육이 본질이 되어가는 형국이다.

교육의 본질은 무엇인가?
교사의 역할은 무엇인가?
학교의 역할은 무엇인가?

4장

학교는
평생학습의 장이다.

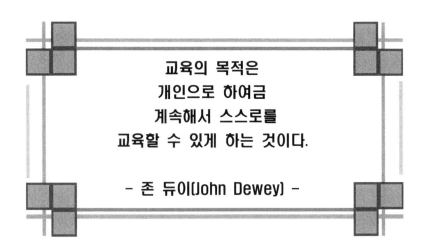

교육의 목적은
개인으로 하여금
계속해서 스스로를
교육할 수 있게 하는 것이다.

- 존 듀이(John Dewey) -

4장 학교는 평생학습의 장이다

　100세 시대이다. 학교를 마치면 공부가 끝이 아니라 평생 학습하는 시대가 되었다. 평생교육은 인간이 태어나서부터 마칠 때까지 스스로 끊임없이 배우는 과정과 활동을 말한다.

　국가와 사회적 측면에서 평생교육은 개인의 경쟁력을 강화함으로써 국가 경쟁력의 발전을 도모하려는 목적과 사회 구성원들에게 개개인의 권리와 의무에 대한 인식을 높여 보다 신뢰할 수 있는 사회를 만들려는 목적이 있다. 또한 개인을 충분히 계발하여 풍성한 삶, 가치 있는 삶을 영위할 수 있는 기반을 마련하려는 개인적 측면이 있다. 17)

　평생교육이란 말 그대로 평생에 걸쳐서 행하여지는 교육이다. 나이와 사회의 한계를 벗어난 일생에 걸친 교육을 의미한다. 학생들이 미래 변화에 능동적으로 대처해야 하는 배움이다.

---

17) 위키백과 평생교육
　https://ko.wikipedia.org/wiki/평생교육

우리나라 헌법 31조를 살펴보자

> 헌법 [제31조]
>
> ① 모든 국민은 능력에 따라 균등하게 교육을 받을 권리를 가진다.
> ② 모든 국민은 그 보호하는 자녀에게 적어도 초등교육과 법률이 정하는 교육을 받게 할 의무를 진다.
> ③ 의무교육은 무상으로 한다.
> ④ 교육의 자주성·전문성·정치적 중립성 및 대학의 자율성은 법률이 정하는 바에 의하여 보장된다.
> ⑤ 국가는 평생교육을 진흥하여야 한다.
> ⑥ 학교 교육 및 평생교육을 포함한 교육 제도와 그 운영, 교육재정 및 교원의 지위에 관한 기본적인 사항은 법률로 정한다.

국가는 헌법을 책임을 지는 게 정상이다.

헌법 제31조는 국민에 대한 교육의 의무와 의무교육을 무상으로 한다를 강조한다. 국가는 무상으로 의무교육을 시행한다. 현재는 중학교까지 의무교육이다. 이제는 대학까지 가능한 일이다. 모든 학생이 행복하게 지낼 수 있는 교육 제도가 생기기를 바란다.

아리스토텔레스는 "국가는 좋은 생활을 위해서 존재하는 것이지 단순히 생존만을 위해 존재하는 것은 아니다"라고 했다. 아인슈타인은 "국가가 사람을 위해 만들었지, 사람이 국가를 위해 만들어지지 않았다."라고 말했다. 국가는 해야 할 일이 있고 하지 말아야 할 일이 있다. 반드시 해야 할 일을 꼭 해야 하는 것이 국가다. 국가는 국민을 존중하고 보호할 의무가 있는 것이다.

수명 연장과 더불어 배우고 익힐 것이 많이 있다. 더 나은 삶을 위하여 국가는 평생교육을 책임지고 추진해야 한다. 과거에는 교육받지 않고도 뛰어난 능력을 갖춘 사람이 명예와 미덕을 지니는 경우도 많았다. 요즈음에는 의무교육만 받는 사람은 없다. 현재는 중학교까지 의무교육이나 고등학교, 대학교까지 의무교육으로 확대되기를 기대한다. 국가는 국민에게 평생교육을 제공해야 한다.

교육의 기본은 무엇인가?

우리나라의 미래는 지금 가치관의 선택이 중요하다. 교육에서는 학생들이 무엇을 가치 있게 배울까 걱정이다. 학교 교육과 평생교육에는 무엇인가 가르치는 자가 존재하기 마련이다.

배우고 가르치고 배워서 남 주는 게 교사이다. 일반적으로 학생을 가르치는 자를 의미한다. 이제는 열심히 가르치는 교원에게 존중과 배려의 문화가 필요한 시점이다.

"윗물이 맑아야 아랫물이 맑다"라는 말이 있다. 윗사람이 잘해야 아랫사람도 잘하게 된다는 뜻이다. 부모가 모범을 보여야 자식도 효자 노릇을 하게 된다는 의미다. 가정과 학교, 사회에서 기본이 바로 서는 교육을 제대로 하길 바란다.

루즈벨트는 미국 역사상 유일무이한 대통령이다. 그는 여러 가지 명언을 남겼다. "위대한 사람이 된다는 것은 참으로 멋진 일일 것이다. 하지만 참된 인간이 되는 것은 더욱 멋진 일이다." 참된 인간을 가르는 게 인격 형성이다. 우리나라 교육 이념이 홍익인간이다.

교육에 왕도는 없다. 그러나 교육에는 기본이 있다. 교육엔 정성을 들이는 것이다. 사회와 세상은 추구하는 가치가 변하고 있다. 학생과 학부모는 성적이고, 관리자는 안전한 학교이다. 교사는 교과 지식 가르치기와 행정업무에 정신이 없다.

학교 생활지도는 걱정이 태산이다. 요즘 학생들은 학교 교칙을 준수하지 않는 학생이 많아지고 있으며 교사의 말을 듣지도 않는다. 학교에서 지켜야 할 규칙을 준수하지 않으니, 과거처럼 체벌이나 벌점도 없다. 오로지 교사의 잔소리뿐이다. 그렇다고 잔소리를 크게 하면 아동 학대라고 신고하니 교사가 설 자리가 좁아지고 있다. 수업 시간에 잠을 자거나 떠들어도 특별한 제제 수단이 없어 최근 학교 교육에 문제가 생긴다.

기본을 잘 가르치고 배우는 교육을 희망한다. 기본은 말하기 듣기 읽기 쓰기이다.
바른말과 고운 말을 사용하는 습관이 중요하다. 이는 가정과 학교에서 모범을 보이는 것이다. 사회에서는 방송이 크게 영향을 미친다. 말은 상호 간 경청과 질문이다. 질문하는 대화는 진정한 배움을 실현하는 대화이다.

듣기는 말하기와 함께 소통하는 방법이다. 소통이 잘 되려면 경청한다. 이 모든 걸 잘하도록 배우는 게 기본이다.

쓰기는 더욱 중요하다. 오늘 하루의 일을 반성하는 글쓰기다. 어려서는 읽기가 되고 인성이 함양되는 것이다. 학년이 올라가면서 자신의 반성이고 이게 성장하는 지름길이다.

읽기는 독서다. 독서는 다른 사람들의 경험을 통해 간접적인 지혜와 가치를 얻는다. 책을 읽고 책을 쓰는 과정을 통해 비판적 사고력을 키우게 된다. 또한 인성과 창의성을 바탕으로 한 융합적인 역량을 기르는 방법이다. 교육은 이를 즐겁게 하도록 돕는 게 진짜 공부이다.

기본을 잘 지키는 대한민국이길 바란다. 미래를 위하여 기초를 튼튼히 하는 교육, 기본을 지키는 교육을 제대로 해야 한다. 기본을 잘 지키는 것이 본질이고, 기본이 미래이다.

기본이 바로 서야 한다.

가정이 바로 서야 학교가 바로 서고,
학교가 바로 서면 사회가 바로 선다.
사회가 바로 서면 국가가 바로 선다.
18)

18) 유튜브 아름답게
https://www.youtube.com/watch?v=sA_MPA7vnDQ

21세기 핵심역량 4C는 무엇인가?

4차 산업혁명이란 말이 사용된 후 시간이 많이 흘렀다. 학교문화도 시대에 걸맞게 합리적으로 개선하여야 한다. 학교를 업무 중심에서 수업 중심으로의 변화가 필요함을 느끼며 개선이 되길 희망한다.

디지털 시대 인공지능 로봇이 등장하고, 학습자도 많이 변화하고 있다. 제4차 산업혁명 시대를 살아가기 위해 어떤 역량을 가져야 할까? 세계경제포럼과 전미교육협회는 4C를 제시했다.

21세기 핵심역량 4C를 강조한다. 4C는 의사소통 능력(Communication), 협업 능력(Collaboration), 비판적 사고능력(Critical Thinking), 창의력(Creativity)을 다시 강조한다.

이제는 추가로 컴퓨팅사고력(computational thinking)이 필요한 능력이다. 복잡한 문제를 순서대로 해결하기 위해 생각하고, 이를 위해 컴퓨터의 기능을 활용하여 문제를 해결해 나가는 사고 컴퓨팅 시스템 역량을 활용하여 문제를 해결해 나가는 창의 융합 능력이다.

4부 학교 교육의 미래에 대하여

수업 시간은 4C 역량을 키우는 시간이다. 수업 방법을 변화시키고 평가 방법을 개선하길 기대한다. 암기 위주의 교육도 필요하다. 이제 수업 시간에 과정 중심 수행평가의 확대를 하여 관찰하는 평가를 하는 시기이다. 수업 시간 과정을 제대로 관찰평가 해야 집중과 협력을 잘한다. 교육 환경의 변화에 적절하게 적응해야 한다. 기존의 학교 업무를 통합하고 새롭게 재배치하여 교사 중심에서 학생 중심으로 변화를 요구한다. 지금이 기회가 될 것이다.

"하늘은 스스로 돕는 자를 돕는다."라고 했다. 스스로 열심히 미래 역량을 갖추도록 가르치고 도와주는 곳이 학교다.

수업 시간은 친구와 함께하는 협동학습의 기회이다. PBL 수업을 권장한다. 핵심역량을 함양시키려면 교과 역량을 함양시켜야 한다. 교과 역량은 학습 목표를 달성하는 것이다, 교과의 학습 목표는 실력이 되는 것이다. 수업 시간이 미래 인재가 시작되는 출발점이다.

4C 역량과 융합 역량을 키우려면 어떻게 교육해야 할까?

에듀테크 수업의 허와 실

에듀테크(EduTech)의 의미다.

교육(Education)과 기술(Technology)의 합성어로, 앞 글자를 합쳐서 '에듀테크(EduTech)'라고 표현한다. 즉 기술과 교육의 만남으로 학생들의 학습효과를 높이는 것이라고 한다. Technology를 활용하여 수업에 적용하는 기술이다. 디지털 교과서, 새로운 에듀테크 도구가 교육 현장에 속속 적용됐다. 에듀테크 활용은 교육의 목적을 이루기 위한 수단이다.

학습을 어떻게 해야 향상할 수 있을까?

지금의 교실 환경을 바라보자.

학생은 수업 시간에 같은 속도로 학습하고 있다. 정해진 수업 시간에 많은 학생이 이해하면 좋겠지만 그렇지 않다. 개인의 역량이 차이가 난다. 한마디로 실력과 학력의 양극화다.

이를 잘 해소하도록 노력하는 학습 방법이 중요하다. 학력 양극화의 해소 방법이 완전 학습이다. 이를 제대로 해결할 수 있는 것이 맞춤형 교육이다. 수준별 학습이다. 이를 위해 학생 수가 적은 교실 환경을 기대한다.

교사는 신기술과 에듀테크를 활용할 줄 알아야 한다. 에듀테크 제작하는 기술교육을 강조하는 게 아니다. 기술을 어떻게 활용하느냐가 에듀테크이다. 디지털 기기를 사용하며 생각하는 역량도 필요하다. 미디어 리터러시 소양 교육이다.

교사는 기술을 활용할 줄 알아야 한다. 핸드폰이 처음 나왔을 때 사용법을 익히듯이 배워야 삶을 편리하게 살 수 있는 것이다. 대학에선 인공지능 분야 연구와 개발하는 것이다. 이 부분을 발전하는 게 과학기술이다, 미래 변화하는 교육 환경에 대한 학습자 특성과 교육과정에 대해 새로운 에듀테크 교육 환경에 적응해야 한다. 교실 수업의 방법에 관한 사례를 제공하고 공유한다. 수업의 본질을 추구하는 실제적인 수업 공개를 한다. 정보를 제공하며 학습자료를 준다.

인공지능(AI)을 활용하는 수업 시간이 필요하다. 수업은 기술이고 예술이다. 에듀테크 활용하는 수업은 학습의 효율을 높여줄 수 있다. 과거 코로나를 겪는 중에도 교육 현장에서 교육 정보 기술을 활용하여 원격교육을 했다. 교사나 학생 처음에는 불편하고 힘들었지만 대부분 잘했다. 비대면 수업, 문제는 학생들은 누군가 관리하지 않으면 학습하지 않는다. 평가 결과 양극화가 심하게 나타났다. 등교해서 학습하는 게 그동안 교사들의 노력과 수고가 확인된 것이다.

에듀테크를 활용하는 교육은 과거로부터 시작되었다. 교육 공학 도구를 사용하여 오감을 자극하는 방법이다. 에듀테크의 종류도 다양하며, 교육 환경이 변화하고 있다. 디지털 전환 시대 교육의 방법도 점차 변화가 필요하다.

예를 들면, 컴퓨터 또는 태블릿, 핸드폰을 활용하여 가상현실과 증강현실, 메타버스를 활용한 수업도 증가하고 있다. 디지털 교과서가 등장한 지 10여 년이 지났다. 디지털 교과서는 수업 관련 동영상, 360도 카메라, 증강현실, 가상현실 등이 제공된다. 전자칠판도 교육 현장에 속속 적용됐다. 이 모든 걸 제대로 활용하는 수업이 다가오고 있다.

교육 현장에는 인공지능(AI) 로봇 선생님이 등장한다. 인공지능(AI) 로봇 선생님의 도움으로 개인별 맞춤형 교육효과를 기대하게 될 것이다. AI를 활용한 사교육 수요도 높아질 것이다. 인공지능을 갖춘 인공지능(AI) 로봇 선생님은 학습의 보조 수단으로 이용될 것으로 기대한다.

학교에서는 기본적인 학습 설계와 교육은 당연히 교사가 가르치게 된다. 학습자가 필요에 따라서 자기 주도적으로 체험하고 경험하고 문제 해결을 할 수 있는 학습 도구로 이용될 것이다.

디지털 인공지능 시대이다. 오늘날을 한마디로 표현하면 하이테크 하이터치(High Tech High Touch)시대다. 하이터치 하이테크(High Tech High Touch) 교육은 학생 한 명 한 명이 맞춤형 교육을 가능하게 할 수 있기를 기대한다. 하이테크를 활용하여 하이터치 학습을 통하여 학습 목표를 달성하는 것이다. 교과 역량을 키워주길 기대한다. 수업 시간에 에듀테크 기술을 활용하는 것이다.

미 성숙한 학생들을 성숙한 인간으로 교육하는 것이 교사다. 에듀테크 기술을 수업 시간에 적절하게 활용한다. 에듀테크를 학습 동기와 평가에 활용한다. 오감 만족을 주는 교육 방법이다. 자신의 흥미와 수준에 맞는 수업을 할 수 있도록 도와주는 보조교사가 되길 바란다. Technology는 계속해서 발달한다. Technology를 이용하는 수업 시간, 교육 정보 기술 활용하여 행복한 수업 시간이 되길 희망한다.

에듀테크를 활용하는 것은 좋은 방향이지만 수능 입학시험 체제의 입시 교육을 할 수밖에 없다. 기존의 입시나 평가 체제는 그대로 두고 에듀테크를 사용하면 다가 아니다. 인공지능 AI 교과서가 교육의 만능인 것처럼 말하는 건 너무 무책임한 일이다. 교육의 목적과 수업은 목적은 입시를 중요하게 여기지 않을 수 없다.

수업에 에듀테크 기술에 대한 접근성이 좋은 교사들이 더 많이 활용한다. 모든 교사에게 골고루 에듀테크 활용 연수 혜택을 받지 못하면 격차가 더 커질 것이다. 디지털 인공지능 기술을 적절히 활용하면 오히려 교육 수준을 한 단계 향상하게 시킬 수 있다. 인공지능(AI) 디지털 교과서의 학교 현장에서 학생 개인의 기초학력 강화를 위한 도구이길 기대한다.

학교는 성적순대로 서열을 매겨야 하는 내신 상대평가를 해야 한다. 대학수학능력시험(수능) 점수로 대입 당락을 결정하는 정시 비중이 확대되었다. 따라서 토의와 토론, 생각하는 수업, 탐구하는 수업을 주로 할 수 없는 지경이다. 오늘날 고등학교의 교육은 대학입시에 종속된 환경이다.

학생 한 사람 한 사람에게 조금이라도 맞춤형 교육이 중요하다. 학생 수가 줄어드는 교실을 바란다. 또한 수업이 근본적으로 변화는 교사 수를 줄이는 게 아니라 학생 수를 줄이는 게 우선이다.

창의 인재로 길러낼 수 있도록 교실의 환경조성이 우선이다. 교사에게 수업 환경을 바꾸도록 행정업무를 줄이도록 요청한다. 교사가 학생에게 관심을 가지고, 바른길로 안내한다. 제대로 알려주어도 잘 따르지 않는 게 요즘 교실이다.

무엇을 해결하려고 에듀테크 기술을 사용할 것인가?

교사나 학생은 에듀테크 기술을 이해하고 적극적으로 사용하는 태도를 갖추는 교육이 필요하다. 수업 시간 문제를 찾고 문제를 해결하는 환경을 제공하면, 학생들은 에듀테크를 활용하며 즐거운 수업이 된다. 학생의 진정한 배움은 기쁨을 느끼는 교실이 되는 것이다.

교육은 사람들의 인간다움과 따뜻한 인간중심 교육이 교육의 본질이다. 학생의 삶에 자기 주도성을 갖도록 교사의 노력이 더욱더 요구된다. 미래지향적인 에듀테크가 활용된다 해도 미 성숙한 사람을 성장시키는 게 교사이다.

인내하고 끝까지 최선을 다해 교육하는 게 교사 사명이요 의무이다. 그래서 교사는 힘들다. 따뜻한 마음으로 정성으로 가르치는 게 교사이다.

똑똑한 기술을 따뜻하게 사용하는 교실이 되길 소망한다. 똑똑한 기술을 잘 활용하는 따뜻한 교사, 똑똑하고 따뜻한 인재를 양성하길 기대한다.

미래 교육 패러다임은?

미래학자들은 앞으로 인공지능과 로봇의 자동화로 사라지는 일자리가 많아질 것이라고 말한다. 초·중등교육에서 인공지능(AI)과 로봇, SW, 창의성 교육을 하여 학생들이 미래를 대비할 힘을 길러주어야 한다.

인공지능(AI)과 디지털 기기가 넘치고 있다. 이를 잘 활용하는 것이 새로운 시대의 수업 혁신이 되었다. 미래에는 지속적인 학습이 필수이다. 가장 중요한 것은 평생 배우고 공부하는 학습 습관을 지닌 능력이 필요하다.

학교는 점점 더 ChatGPT와 같은 도구에 익숙해져야 하는 시대가 되었다. 인공지능(AI)이 도입된다고 올바르게 사용하도록 지도하는 것은 교사들의 몫이다. 학교 현장에서 AI 교육을 어떻게 해야 하는 지 교사들은 난감하다. 교사는 미리 사용하고 검증하려니 공부할 시간이 부족할 정도로 바쁘다. 교육과 관련 없는 비본질적인 행정업무를 경감하고 교사가 가르치는 수업에 전념하는 학교이길 희망한다.

교육의 궁극적인 목표는 예나 지금이나 명확하다. 바로 개인이 가진 고유한 잠재력을 극대화하는 것이다. 교육은 옳고 그름을 가르치는 거다. 학교는 원하는 것을 모두 가르치거나 도와줄 수 없다. 각자도생이다.

교수·학습에서도 교과별 내용뿐만 아니라 핵심역량을 활용하여야 하며 이러한 변화에 맞추어 평가도 개선되어야 한다. 학생 참여 중심 수업과 교사별 과정 중심 평가 활성화를 위한 학생 평가제도가 개선되길 희망한다.

교사의 일상은 수업의 연속이다. 교사는 이 일을 평생 하는 일신우일신(日新又日新)의 삶이다. 학교에서 학생과 함께 즐겁고 행복한 교사 되길 소망하며, 교육 현장에 이바지할 수 있기를 바란다. 교사도 지치고 힘들 때 기대고 싶은 곳이 있다. 교사 혼자 고민하지 말자.

"혼자 가면 빨리 가지만 함께하면 멀리 간다"라는 말이 있다. 수업 친구, 동 학년 교사, 전문적 학습공동체가 함께 협력하는 것이다. 교사는 더욱더 성장하고 성숙한 교사가 된다.

함께 협력하는 수업 문화를 위해 모이자. 같이 하면 가치가 크다. 교사도 학생도 행복한 학교를 만들려면 함께 하는 게 제일이다.

오늘날 교사는 평생 배워야 할 게 많다. 더욱 창의적인 일에 몰두할 수 있는 정신적, 육체적, 그리고 시간적 여유를 갖추어야 한다. 더 행복한 삶을 만드는 미래를 위해 배우고 익히는 공부를 평생 해야 한다.

교사는 가르치기 위해 깊이 있는 수업 준비와 가르치는 역량의 계발이 요구된다. 가르침에 만족하고 보람을 느끼려면 수업 혁신이야말로 평생 추구해야 할 사명감이다.

Chat GPT 활용하는 교육에 관한 내용은 도서 『Chat GPT 활용으로 행복한 교사 되기』 및 『뤼튼(Wrtn)에게 물어봐』를 참고하기를 바란다.

교사 전문성은 수업이다

　교사는 수업이 생명이라고 한다. 교사는 수업과 업무, 학생 상담을 하고 있다. 특히 수업을 담당하는 교과 교사는 수업 준비하느라 늘 바쁘다. 학교 교육 활동에서 교육에 관한 말 다시 강조한다. "교육의 질은 교사의 질을 넘어설 수 없다"라는 말이다. 이는 학교 교육에서 교사 역할의 중요성을 강조하는 의미다. 교사는 수업 시간에 지식만 가르치는 게 아니다. 교사의 말과 행동, 태도 모든 분야가 교육이므로 모범을 보여야 한다.

　그렇다면, 교육 제도의 질은 누구에게 달려있을까?
　교육 환경의 질은 누구에게 달려있을까?

　교실 현장에서는 학생들의 학업성취를 촉진하도록 도와주는 것이 중요하다. 교사의 존재가 교육과 보육을 하느라 더욱 힘들다. 요즘 업무가 더욱 증가하니 걱정이다.
　교사는 외친다.
　"수업 시간에 제대로 교육하고 싶다."라고. 수업을 우선하는 대한민국 학교를 바란다.

교사는 모든 학생이 행복하게 성장할 수 있도록 최선을 다하여 가르치고 있다. 수업을 즐겁고 재미있게 하려고 준비를 철저히 하여 교실에 가면 안타까울 때가 많다. 준비한 모든 걸 쏟아내려고 노력하지만, 교실 수업 환경은 희망 사항일 뿐이다. 수업은 교사와 학생의 상호작용이다. 교사는 좋은 수업을 하고 싶다. 좋은 수업은 좋은 학생을 키운다. 배우려고 하는 학생이 많기를 바랄 뿐이다. 교실에는 다양한 학생이 존재한다.

교사는 전 국민의 동네북이 된 지 오래되었다. 잘해야 본전이다. 만약 뭐 하나 제대로 못 한다면 신문과 방송 뉴스에 기사화되고 있다. '보상이나 존중을 제대로 해주는가?' 묻고 싶다. 교사들이 가지고 있는 능력을 최대한 개발하고 발휘하게 하여 그들을 행복하게 만드는 정책이 필요하다. 또한 도덕적으로 요구하는 것은 아주 높다. 학교의 모든 교사는 정신적으로 더욱 힘든 시기이다.

교사는 교과를 가르치면서 많은 업무를 한다. 교사는 전문성이 더욱더 요구되고 있다. 전문성을 넓히려고 매년 꾸준한 연수와 공부하며 노력하고 있다.

교사의 삶은 행복한 세상이다

　교사 삶의 단순한 경험을 전하고자 이 글을 쓴다. 그동안 배우고 가르친 게 내 삶이다. 일부는 단순한 삶이 아니라고 할 수 있고, 일부는 공감할 것이다,

　삶은 하루, 한 달, 일 년을 반복하는 삶이다. 교사의 일상은 반복하는 다람쥐 쳇바퀴 같은 삶이다. 학교를 옮기지만 늘 같은 일을 한다. 학생이 바뀌고 환경이 바뀌지만, 크게 보면 가르치는 삶의 반복이다. 보람과 만족은 기다리면 다가온다. 교사인 내가 마음먹는 게 중요하다. 학교생활 참는 게 보약이고 명약이다. 교문 밖의 세상으로 나가면 뾰족한 방법이 나를 기다리면 좋겠지만 정글과 마찬가지이다.

　학생과 대화가 불편한 이유는 내 생각과 학생의 생각이 다르기 때문이다. 미성숙하기 때문이다. 미래나 향후의 생각보다 지금, 이 순간의 생각만 하려고 한다. 교사는 잘 알아듣도록 꾸준하게 가르치는 게 의무요 사명이다. 내가 하는 일이 고귀한 일이고, 매우 중요한 일이다. 미래를 위한 일이다. 미래는 점점 변화하고 있다.

교사는 변화에 빠르게 적응해야 한다. 내가 변하느냐가 문제다. 변화에 앞장서느냐, 따라가느냐의 선택은 나에게 달려있다. 내 인생이다. 내 주변에 충고나 도움을 주는 사람이 많은지 살펴보자. 모든 일은 내가 정하고 내가 도전하고 내가 성취하는 것이다. 세상은 멈추는 게 아니라 발전하면서 잘 굴러간다. 세상은 늘 변화한다. 나도 변해야 한다.

수업은 교학상장(敎學相長)이다. 교사는 수업으로 학생과 함께 교실에서 행복과 소질을 찾아주는 게임을 한다. 자신의 수업에 고민이 없는 교사는 없다. 수업은 역지사지(易地思之)의 마음으로 해야 즐겁다. 이제는 학교 교육에 대하여 다시 생각할 때이다.

학생을 변화시키는 방법은 무엇일까?
교사를 변화시키는 방법은 무엇일까?
학교를 변화시키는 방법은 무엇일까?
교육을 변화시키는 방법은 무엇일까?

교사는 학생에 관한 관심과 사랑이 제일이다.
미래를 위한 교육이 이루어지는 교실에서 학생 개개인의 소질을 생각할 때이다. 좋아하는 것, 잘하는 것을 찾는 경험을 제공하는 곳이 학교다.

학교는 이제 바뀌어야 하며 변해야 하는 시기이다. 이 세상에 변하지 않는 것은 없다. 변하지 않는 것은 변한다는 사실뿐이다. 변화를 두려워하지 말고, 변화에 앞장서는 교사이길 기대한다. 교사는 늘 성장하고 변해왔고, 변화에 잘 적응하며 교육할 것이다. 여러분이 행복해야 하는 이유다.

교사가 행복해야 학생이 행복하다.

학생이 행복해야 학교가 행복하다.

학교가 행복해야 학부모가 행복하다.

학부모가 행복해야 사회가 행복하다.

사회가 행복해야 국가가 행복하다.

교사는 미래는 변화자이다

"바로 사는 것은 어떻게 사는 것이냐.'라는 말을 소크라테스에 의하면 바로 사는 것을 다음과 같이 말했다.

첫째, 진실하게 사는 것이요.

둘째, 아름답게 사는 것이요.

셋째, 보람 있게 사는 것이다.

공부를 잘하도록 돕는 게 교사의 삶이다. 과거에는 욕설도 하고, 기합도 주고, 폭력도 사용했다. 부끄럽고, 그때의 학생들에게 미안하다고 지금이라도 말한다. 내 잘못이라고, 용서해 달라고, 사과한다. 교사로서 미흡한 점이 많았다.

과거 업무가 학생부였다. 학생부에서는 그렇게 하는 줄 알았고, 그렇게 했고, 누구도 간섭하지 않았던 시절이다. 세상이 변하고 있다. 학교 상황도 많이 변했고 변해야 하는 시대이다. 지금 제대로 잘하려고 새롭게 다짐한다. 학생들도 바르게 하기를 희망한다. 요즘엔 말도 바르게, 생각도 바르게, 행동도 바르게, 생활도 바르게 하려고 노력하고 있다.

교사의 삶은 언행일치이다. 모범을 보이며 교사로 사는 것이다. 말이 쉽지, 힘들 때가 많다. 바른 말 고운 말 쓰려고 노력하고 인내하자니 스트레스가 이만저만이 아니다. 참자니 소화가 안 되고 스트레스 쌓인다. 스트레스는 즉시 푼다. 심호흡하고, 물 먹고, 운동장 걷는다. 속상한 걸 화풀이 하자니, 이제는 어찌하랴. 스트레스를 풀 방법을 생각 중이다. 나 스스로 좋은 인품으로 거듭나야겠다. 지금부터라도 잘해주려고 노력하고 있다.

그동안 배우고 가르친 게 내 삶이다. 교사 삶의 단순한 경험을 전하고자 이 글을 쓴다. 일부는 단순한 삶이 아니라고 할 수 있고, 일부는 공감할 것이다,

삶은 하루, 한 달, 일 년을 반복하는 삶이다. 교사는 더더욱 반복하는 다람쥐 쳇바퀴 삶이다. 학교를 옮기지만 늘 같은 일을 한다.

학생이 바뀌고 환경이 바뀌지만, 크게 보면 가르치는 삶의 반복이다. 보람과 만족은 기다리면 다가온다. 교사인 내가 마음먹기가 중요하다. 학교생활 참는 게 보약이고 명약이다. 교문 밖 세상으로 나가면 뾰족한 방법이 나를 기다리면 좋겠지만 정글과 마찬가지이다.

내가 하는 일이 고귀한 일이고, 매우 중요한 일이다. 미래를 위한 일이다. 미래는 점점 변화하고 있다. 교사는 변화에 빠르게 적응해야 한다. 내가 변하느냐가 문제다. 변화에 앞장서느냐, 따라가느냐의 선택은 나에게 달려있다. 교사는 학생에 관한 관심과 사랑이 제일이다. 미래를 위한 교육이 이루어지는 교실에서 학생 개개인의 소질을 생각할 때이다. 좋아하는 것, 잘하는 것을 찾는 경험을 제공하는 곳이 학교다. 학교는 이제 바뀌어야 하며 변해야 하는 시기이다. 이 세상에 변하지 않는 것은 없다. 변하지 않는 것은 변한다는 사실 뿐이다. 변화를 두려워하지 말고, 마음을 잘 다스려 변화에 앞장서는 교사이길 기대한다.

학생과 대화 안 되는 경우가 많다. 교사는 잘 알아듣도록 꾸준하게 가르치는 게 의무요 사명이다. 학생이 대화를 꺼리는 이유는 미성숙하기에 생각이 전혀 다르기 때문이다. 미래나 향후의 생각보다 이 순간 위기를 모면하거나 피하려는 대화를 하려고 한다.

내 인생이다. 내 주변에 충고나 도움을 주는 사람이 많은지 살펴보자. 모든 일은 내가 정하고 내가 도전하고 내가 성취하는 것이다. 세상은 멈추는 게 아니라 발전하면서 잘 굴러간다. 세상은 늘 변화한다. 나도 변해야 한다.

학교는 무엇하는 곳인가?

교육의 목적은 무엇인가?

인공지능 시대이다. 미래 교육을 위해 학교는 수업이 제일인 학교를 기대한다. 현재나 미래에도 교육은 인간의 전인적 성장이다. 학생들에게 지속 가능한 사회에 적응하도록 돕는 것이다. 미래 기술이 발전하는 건 당연할 것이다. 교육에 에듀테크를 활용하여 융합적 사고력과 논리적 사고력을 길러야 한다. 4C를 함양하는 미래 인재를 양성하는 교사의 역할과 가치는 더욱 중요하다.

교사는 공부가 즐거운 일상으로 평생 습관화되어야 한다. 도전하는 마음을 가진 변환자이다. 교사는 연구하며 공부하고, 배우며 가르치는 교육실천가이며, 솔선수범하는 자이다.

교육은 사화만사성(師和萬事成)이다

교육은 영어로 'education'이다. '밖으로 끄집어내다'라는 의미다. 학생들의 잠재력을 끌어내 낼 수 있도록 능력을 기르는 게 교육이다.

교육은 재능을 끄집어내는 게 교육(教育)하는 것이다. 가르치고 기르는 것이다. 교육의 수준은 교사의 자질과 능력에 의해 좌우된다고 해도 과언이 아니다. '교육의 질은 교사의 질을 넘어설 수 없다'라는 말이 있다. 학교 교육에 있어서 교사의 역할은 중요하다.

미래 인재는 무엇을 가르쳐야 할까?
미래 수업은 어떻게 해야 할까?

교육에는 독서가 기본이다. "사람은 책을 만들고, 책은 사람을 만든다."라고 한다. 교사는 도움을 주는 역할을 하는 퍼실리테이터(facilitator) 이다. 지금의 교육 경쟁력이 곧 미래 국가 경쟁력이다. 지금의 학생이 미래 우리나라 인재이기 때문이다.

교육의 질은 시설, 환경, 학습자의 태도 등 다양하다. 특히 교사의 수업 연구에 대한 환경이 제공되고 업무 경감이 된다면 교육의 질을 끌어 올릴 수 있다고 생각한다. 교사를 신뢰하고 교육의 여건이 개선되길 기대한다.

학교 교사는 교육활동에서 수업의 질을 좌우한다. 수업으로 교육을 수행하는 것은 교사이기 때문이다. 이러한 의미에서 현장에 있는 교사 한 사람 한 사람은 교육의 질이 수업의 질이다. 그렇다면 국가는 수업에 전념할 수 있는 여건을 조성해야 한다. 교육 현장의 가장 중요한 사항이기 때문이다.

요즈음 학교 교실에서 수업 중 문제행동을 하는 학생이 증가하고 있다. 교권 추락의 민낯이다. 타이르거나 꾸짖으며 훈계하다가 정서 학대로 원성을 사기도 한다. 일부 교사는 소송에 휘말려 인권침해로 몰리기도 한다. 교사가 제지할 뾰족한 방법이 없어서 걱정이다. 체벌이 없어진 지 오래되었고, 기합은 절대 안 되는 현실이다.

학생들이 못한다. 싫어한다, 하기 싫다고 한다. 어찌하나. 지식을 습득하게 도와주는 것은 기본적인 교육의 첫 번째 과정이다. 학생이 활동하고 참여하는 방법과 경험을 많이 하도록 도와준다. 교사의 전문적인 능력이란 이런 것이다.

큰소리는 당연히 하지 못하며, 교실 뒤에 가서 반성하고 서 있게 하지도 못하는 지금의 상황이다. 학교 현장에서 학생들의 의무와 책임을 가르치고 있지만, 도대체 말을 듣지 않은 학생 때문에 힘들다. 교권 회복과 수업권을 위하여 보호할 대책이 필요하다. 다른 많은 학생이 피해를 보지 않도록 생활지도의 규칙과 법이 필요한 시점이다. 세상에 ~ 이런 것을 해결할 법이 없네요.

학교 세상이 이래도 되나?

페스탈로치는 "가정은 도덕상의 학교다. 가정에서의 인성교육은 중요하다."라고 강조했다. 교육의 기본은 가정이다. 가정에서 자녀 교육과 부모의 교육에 대한 가치가 중요하다. 가정은 사회를 이루는 기본이다. 학교는 사회인이 되는 최소한의 교육을 담당한다. 가정과 학교, 사회와 국가에서 기본이 바로서는 교육을 시도해 보자.

기본이 바로 서야 가정이 바로 선다.
가정이 바로 서야 학교가 바로 선다.
학교가 바로 서면 사회가 바로 선다.
사회가 바로 서면 국가가 바로 선다.

4장 학교 교육의 미래에 대하여

2023년 초·중등교육법을 개정하여 교원의 교육활동 보호를 위한 법안들이 통과됐다. 하지만 학교 현장에서 발생하는 여러 상황에 적용할 학칙 표준안 마련 등 후속 조치는 매우 미흡하다. 교사 누구든지 가르치면서 아동학대범으로 신고되면 정신적으로 매우 힘들다. 학교 현장에서 교권 침해를 받지 않도록 생활지도 법 개정이 필요하다. 법으로만 해결할 수 없다. 없는 법보다는 있는 법이 좋다.

　선생님을 존경하고 따르는 교육 풍토가 사라지고 있다. 교실은 안전과 안정이 필요하다. 안정적인 학습 분위기는 선생님의 권리를 보호하는 교육권과 동시에 학생들의 학습권도 보장되는 것이다.

　현재 교육을 "19세기의 교실에서, 20세기의 교사가, 21세기의 아이들을 가르친다."라는 말로 우리 교육의 현실을 이야기한 것이다. 요즈음 교육 환경을 개선하고 학교 공간구성과 많은 시설을 바꾸고 있다. 바꿔야 할 것은 많이 있는데 우선순위는 무엇인가 궁금하다.

　시설과 환경만 바꾸면 되는가?
　무엇을 바꿔야 할까?
　교육 환경의 질은 누구에게 달려있을까?
　교육 제도의 질은 누구에게 달려있을까?

가화만사성(家和萬事成)이란 말이 있다. 집안이 화목하면 모든 일이 잘 이루어진다는 의미다.

학교는 사화만사성(師和萬事成)이다. 교사가 행복해야, 학생들이 행복하다. 학교 교사는 미래 인재를 가르치는 곳이기 때문이다. 학교는 민주 시민의 자질을 함양하게 하는 것이다. 행복한 교사가 행복한 학교를 만든다. 행복한 학생은 행복한 사회의 근본이 된다. 행복한 사회는 행복한 국가가 되는 지름길이다. 행복한 나라가 이루어지길 바란다. 홍익인간의 가치를 실현하는 게 교육의 목적이다.

모두가 행복한 학교에서 모두가 행복한 사회로, 모두가 행복한 사회에서 모두가 행복한 국가로 나아갈 시점이다.

우리나라는 제대로 된 교육을 통해 미래 일류 국가로 나아갈 전환점이다. 모두가 행복한 학교가 될 수 있기를 기대한다.

4장 학교 교육의 미래에 대하여

미래 교육 희망을 바라보자

교사는 역량을 함양하기 위하여 대학원, 부전공 연수, 직무 연수, 자율연수 등 부단한 노력을 한다. 학교에서 교사는 학생들과 하루를 보낸다. 수업, 업무, 상담, 급식 지도, 교실 청소 지도 등 바쁜 학교생활을 년 중 지속한다.

인류의 미래를 예견하고 앞날을 제시한 미래학자 앨빈 토플러는 2006년 저서 《부의 미래》에서 세상 변화 정도를 자동차의 속도로 나타냈다. "비즈니스 기업과 비정부기구(NGO)는 시속 100마일(160km)과 90마일로 쌩쌩 질주한다. 미국의 가족들, 가정은 60마일, 반면 노동조합은 30마일, 정부 관료 조직과 기관들은 25마일, 미국의 학교들과 공교육은 10마일, 국제기구 UN, WTO는 5마일, 정치조직은 3마일, 법은 1마일"이라고 했다.

요즈음 상황과 좀 다르지만 깨달음을 주는 표현이다. 학교에서는 학생을 교사가 가르친다. 흔히 현 교육을 "19세기 교실에서 20세기 교사가 21세기 아이들을 가르친다"라는 한마디의 문구를 통해 말하기도 한다.

학교 교육도 변해야 하고 학교 교사도 변해야 하며 학교 교육 제도 또한 변해야 한다는 의미다. 빠르게 변화하는 시대에 빠르게 대처하는 게 미래 인재를 양성하는 학교의 역할이다. 인간성과 창의성 및 변화에 대처하는 능력을 기르는 것이 중요하다.

교사는 수업을 통해 교육과정과 인성교육을 하는 것이다. 교사는 미 성숙한 미성년자를 가르친다. 가르치는 데 교사의 권한과 책임이 배우는 학생도 함께하는 것이다. 교사도 신규 교사나 고경력 교사 모두 수업한다. 수업에 전념할 수 있는 여건이 중요하다. 교사가 행정업무에 집중하면 학생 교육이 어떻게 되겠는가? 묻지 않을 수 없다.

교육의 발전과 변화를 위한다면 생각해 볼 문제가 있다. 미래 학생은 누가 가르치는지를 알아야 한다. 수업을 매일 하는 교사가 학생 교육을 하는 것이다. 교사는 감시가 아닌 신뢰의 대상이며, 격려와 지지의 존중이다. 교사가 고군분투하시는 현실을 직시하고, 인정과 보상이 열정을 되살린다. 법과 제도는 교사를 위한 제도여야 교육이 바로 선다. 교육이 바로 서야 나라가 바로 서는 것이다.

21세기 사회와 국가가 원하는 교사상

21세기를 선도할 교사는 다음과 같다.

사회변화에 소신 있게 적응하고 앞서가는 교사, 교과목에 대한 지식만이 아니라 새로운 것에 대한 호기심이 있는 교사, 가르치고 배우는 일을 즐거워하는 교사, 학생 개개인의 소질과 능력에 따라 그들의 장래와 직업에 관한 관심을 두는 교사, 사람을 좋아하고 아이들과 시간 보내기를 즐기는 교사, 머리가 좋고 성적이 우수했던 수재형보다는 공부 못한 경험이 있고 이를 극복하고 선생님이 되었기 때문에 학과 성적이 좋지 않은 학생을 이해하고 지도할 수 있는 교사, 학과 성적보다는 다른 사람과 어울릴 수 있는 좋은 성격을 중요시하는 교사, 10년 후에 제자 앞에서 떳떳할 수 있는 교사, 교사라는 직위가 제일 성공한 자리라고 생각하는 교사, 아내의 인격을 존중하면서, 아내의 취업을 긍정적으로 인정하고 가사 분담에 협력적인 남편, 자신의 아이들에게 존경과 사랑을 받고 가족에게는 민주적인 가장, 인류가 당면한 문제 해결(예를 들면, 환경의 문제, 폭력의 문제, 부패의 문제 등)을 생각하는 사람 등입니다.[19]

(한국여성단체협의회 명예회장 이연숙의 글 발췌 및 요약).

---

19) 교육문화연구소 [교사론 · 교수 학습] 21세기 사회와 국가가 원하는 교사상
https://www.edulabkorea.com/reference/general.php?ptype=view&idx=440&page=24&code=general

도서 『조벽 교수의 수업 컨설팅』에 의하면 유능한 교육자의 핵심 특성이다. 유능한 교육자의 3가지 영역과 8가지 핵심 특성으로 제시했다.

유능한 교육자의 핵심 특성

1. 학생들을 위한 배려
2. 수업 내용에 관한 지식
3. 흥미/학습 동기유발
4. 학생들에게 충분한 시간을 할애함
5. 토론을 장려함
6. 명확하게 설명하는 능력
7. 열의
8. 준비

8가지 핵심 요소를 재구성하는 3영역

1. 전문 지식
2. 교수 기술
3. 마음가짐(교사관, 교육 철학)

미래 교사가 갖추어야 할 역량

교사는 교과 전문 지식을 갖추어 학생들의 학습과 성장을 지원한다. 오늘날 교사가 갖추어야 할 역량은 다양하며, 몇 가지를 언급한다.

첫째, 평생 공부하는 태도이다.

평생교육 시대이다. 공부는 평생 해야 하는 업이다. 기술이 발달함에 따라 로봇과 인공지능이 일을 대신하고 있는 시대이다. 기술이 빠르게 발전하고 사회가 계속 변화하므로, 새로운 정보와 지식을 빠르게 습득하고 적응하는 능력이 필수이다.

바둑기사 이세돌이 인공지능과 바둑을 둔 게 2012년이다. 세월이 많이 흘렀다 "십 년이면 강산도 변한다."라는 말이 있다. 세월이 흐르면 변하지 않는 것이 없다는 말이다. 변화에 적응하고, 미래를 위한 공부는 필수이다.

찰스 다윈은 "강한 종이 살아남는 것이 아니라 변화하는 종이 살아남는다"라고 명언을 남겼다. 새로운 지식과 기술을 배우기 위해 책을 읽거나 강의를 듣고 미래를 준비한다.

온라인에서는 많은 공개 강의나 웹사이트를 통해 학습할 수 있다. 시대의 변화에 유연하게 대응하고, 새로운 상황에 잘 적응하는 게 필요한 때이다. 기술 교사는 변화에 적응하며 평생 꾸준하게 연구하고, 노력하는 공부하는 자세가 기본이다. 교사의 독서를 강조한다. 언제 책 읽을 시간이 있느냐고 할 수 있다. 하루 15분이다. 목표를 세우고 습관 되면 읽는 시간은 증가한다. 책은 도서관에 무료로 빌려보면 비용도 들지 않는다. 나는 이렇게 평생 학교생활을 했다. 구매한 책도 많다.

언제 글쓰기를 할 수 있느냐고 할 것이다. 하루에 '한 줄 쓰기' 하면 된다. 수업 시간에 학생이 떠들면 교무수첩이나 일지에다 바로 쓴다.

'왜 떠들까?'

이렇게 쓰면 된다. 해법이 즉시 나오기도 하지만 시간이 지나면 잊을 때도 많다. 하지만 한 줄 글을 쓰면 생각하게 되고 궁리하게 된다. 교육의 현명한 대답이 나타난다. 내 잘못인가? 학생 잘못인가? 아무런 일도 아닌가? 이유를 찾게 되고 바로 자신을 반성하는 길이 된다. 나를 찾는 시각이다. 한 줄 글 쓰면 나를 찾게 되는 순간이 된다. 독서와 글쓰기는 교사가 성장하는 지름길이다.

4장 학교 교육의 미래에 대하여

둘째는 인간관계 능력이다.

디지털 시대 인간관계는 더욱 중요하다. 인간관계는 시간이 지난다고 저절로 깊어지는 것은 아니다.

비고츠키는 "인간의 성장과 발전은 관계 속에서 이루어진다."라고 말했다. 인공지능 시대 사람을 사랑하고 사람을 존중하는 삶이 매우 중요해진다. 가정과 학교, 직장, 사회에서 인간관계는 더욱 중요하다. 본인이 원하는 삶을 살아가지만, 이기주의와 이타주의의 균형을 이루는 삶이 필요한 시대이다. 가족 간 관계는 혈연이요, 사회는 존중의 관계가 으뜸이다.

학생들과의 관계에서 관심과 사랑이 제일이다. 수업은 학생과의 관계가 원만하면 제대로 이루어진다. 서로 존중하고 사랑하는 데 관계가 멀어질 리가 없다.

복도에서 만나면 누가 인사를 할까?

정답은 먼저 인사하는 사람이 정답이다. 교사가 먼저 인사하면 학생은 어떻게 할까? 교사, 행정직원 마찬가지다. 모두 잘하겠지만 일단 먼저 하면 된다. 관계가 멀어지지는 않는다.

인사 예절은 먼저 보는 사람이 하는 것이 기본이다. 학생을 존중하는 관계는 나를 높이는 디딤돌이고, 존경받는 지름길이다.

기업체에서는 "인재는 고쳐 쓰는 게 아니라 골라 쓰는 거"라고 한다. 다른 사람들과 소통하고 협력하는 능력을 키우는 데 집중해야 한다. 세상을 따뜻하게 하는 인간관계는 가정이 근본이요, 학교 교실에서 협력을 강조하며 가르쳐야 한다.

소통은 기본이다. 소통하지 못하면 두통이 온다. 의사소통은 만사형통이요, 운수대통하는 일이다.

맹자는 사단(四端)을 말했다.[20]

사단은 유학(儒學)에서 인간의 본성(이성, 덕)을 가리키는 말이다. 맹자는 인간이 본래부터 선한 마음을 가지고 있다고 주장하는 성선설을 내세우며 이것을 사단(선을 싹틔우는 4개의 단서, 실마리)인 측은지심(惻隱之心)·수오지심(羞惡之心)·사양지심(辭讓之心)·시비지심(是非之心)이다.

측은지심(惻隱之心)은 어려움에 부닥친 사람을 애처롭게 여기는 마음을 뜻한다. 수오지심(羞惡之心)은 의롭지 못함을 부끄러워하고, 착하지 못함을 미워하는 마음을 뜻한다.

사양지심(辭讓之心)은 겸손하여 남에게 사양할 줄 아는 마음을 뜻한다. 시비지심(是非之心)은 옳고 그름을 판단할 줄 아는 마음을 뜻한다.

---

20) 위키백과 사단
    https://ko.wikipedia.org/wiki/사단

4장 학교 교육의 미래에 대하여

과거나 현재나 미래에도 이는 여전히 중요한 인간적인 능력들이라고 할 수 있다. 세상을 살면서 전문 분야의 사람들로부터 배우며 지내는 게 지혜를 얻는 지름길이다. 스스로 성장하고 발전하게 된다. 다양한 사람들과 협력하고 소통하고 존중하는 능력이 필요하다. 공부의 목적은 지속 가능한 세상을 위한 삶을 사는 게 홍익인간 삶이다.

셋째, 창의력과 상상력이다.

4차 산업혁명 시대에 걸맞게 창의적인 인재 양성이 필요하다. 창의적인 인재는 청소년 시기 경험을 많이 하도록 기술수업 시간에 해야 한다. 따라서 교사도 다양한 경험을 하는 공부가 필요하다. 다양한 지식과 여러 가지 경험을 통해 상상력과 창의력은 길러지게 된다.

창의력이 뛰어난 인물 하면 바로 스티브 잡스다. "창의성은 단지 사물을 잇는 것이다."라고 했다. 이것저것을 연결하는 것이요 상상이요 융합이다. 더하기나 빼기를 하는 생각과 행동으로 세상을 변화시키는 능력이다. 실제 경험하지 않은 현상이나 사물을 마음속으로 그려보는 힘, 그리고 새로운 것을 생각해 내는 능력이다.

문제 해결 능력이 필요한 시대이다. 기술의 발전에 따라 복잡하고 어려운 문제를 효과적으로 해결하기 위한 논리적 사고력과 창의력이 요구된다. 기술의 발전에 따라 새로운 디지털 도구와 플랫폼을 이해하고 활용하는 능력은 더욱 중요해질 것이다. 이러한 능력들은 미래의 불확실성을 대비하고, 기회를 최대한 활용하기 위한 핵심역량이다. 사회 상황에 따라 요구되는 능력은 달라질 수 있다.

아인슈타인은 "상상력은 지식보다 더 중요하다."라고 했다. 디지털 시대에 더욱 필요한 능력이다. 호기심, 상상력, 문제 해결 능력, 창의성은 매우 중요하다. 어떻게 해야 발달할까? 독서와 사색이요, 궁리하는 거다. 창의력은 어느 날 갑자기 생기는 게 아니다. 꾸준한 노력과 깊이 있는 생각이다. 학교는 상상한 것을 직접 표현하고 만들어 보는 실행하는 능력이 필요하다.

넷째. 디지털 리터러시다.

인공지능이 발달하고 ChatGPT가 더욱 발전할 것이다. 시대의 변화에 따른 역량을 갖추어야 한다. 디지털 리터러시란 정보를 검색하고 분석하는 능력, 온라인 의사소통과 협업을 하는 능력, 디지털 도구를 창의적으로 활용하는 능력 등을 포함한다. 교사는 최신 기술 동향과 전문 지식과 소프트웨어 코딩 능력도 갖추면 자신감이 크다.

도구와 공구, 기본적인 기계의 활용, 프로그래밍, 로봇 공학, 3D 모델링 등도 익혀두는 게 역량이다. 이를 통해 문제를 해결하고 창의적으로 사고하는 능력을 가르친다. 수업 시간 기술적인 어려움을 겪을 때 적절한 지원하는 방법이다. 학생들에게 문제를 해결 방법을 효과적으로 제공하는 기본적인 능력이다. 디지털 시대에 대응할 수 있는 기술적 역량을 함양하는 게 능력이다.

그렇다고 현재 잘하지 못한다고 너무 걱정하지 않기를 바란다. 누구나 다 때가 있다. 메이커 스페이스에서 배우거나 기술 교사 연수에 참여하면 된다. 각자 좋아하는 일, 잘하는 일, 하고 싶은 일을 찾아서 즐겁고 행복하게 지내길 바란다.

교사는 배우고 가르치는 일을 하는 삶이다. 나다움을 가지는 내 능력을 갖추는 게 새로운 미래 앞서가는 길이다. 배워 남 주는 삶이요, 가르치면 내 능력은 더욱 향상된다. 현재 배우고 가르치는 일이 미래의 자산이요, 미래 대한민국을 만드는 길입니다. 행복한 세상을 위한 교사의 길입니다.

공자 논어 옹야편의 유명한 글이다.

知之者 不如 好之者(지지자 불여 호지자)
好之者 不如 樂之者(호지자 불여 락지자)

"아는 사람은 좋아하는 사람만 못하고, 좋아하는 사람은 즐기는 사람만 못 하다"라는 뜻이다.

교사는 무엇을 하는 자인가?

교사는 현재 하는 일을 즐길 수 있을까?

교사의 실존적 의미는 무엇일까?

교사는 교육의 목적과 교육의 방법을 모두 알고 있지만, 제대로 실천하기가 힘들다. 교사는 대부분 청소년 시기의 개인 목표를 달성한 사람들이다. 교사가 되어 뜻을 펼치려니 현실에서 벽을 느끼며 지내는 게 학교 일상이다. 그래도 수업을 즐겁게 하면 행복한 사람이다.

교사는 다양한 수업 방법을 연구한다. 마술도 배워 수업 시간 활용하고, 게임, 다양한 앱, 인공지능도 활용한다. 여러 가지 연구하고 궁리하는 자신이 자랑스럽다. 교사는 교과의 지식이 우선이요 이해시키는 게 수업 역량이다. 교사는 학생을 도와주는 사람이다. 교사는 가르침에서 도와주는 퍼실리테이터로 전환해야 한다. 학생들의 잠재력을 끌어낼 수 있도록 수업 시간에 도와줘야 한다는 것이다.

개인 맞춤형으로 전환하려면 학생 수가 줄어야 한다. 학생을 관찰하고 소통해야 한다. 학생의 잠재력을 끌어내려면 1:1 질문 방법이다. 개인의 능력을 파악하고 극대화할 수 있도록 살펴보는 게 수업 시간이다. 티칭이 코칭으로 변환되는 시점이다. 디지털 인공지능(AI) 시대 교육자의 역할이다.

행복한 세상을 위한 교사의 길에 정답은 없다,

다만 정성을 다하면 좋은 추억이고, 스스로 만족한다. 교사의 보람찬 삶은 지금부터다. 홍익인간의 교육 이념이 사라지지 않기를 바란다.

괜찮은 교사

좋은 교사는 견디는 선생님이다.
즐겁지만 마음 아픈 교사
그들에게 상처 입은 교사
속상한 마음과 정신과 육체가 힘든 교사
모두 다 좋은 교사이다.

좋은 교사는 부드러운 선생님이다.
따뜻하게 격려하고 인정받는 교사
열정과 사랑으로 희망을 주는 교사
보람과 만족이 충만한 긍정적인 교사
사랑스러운 교사이다.

이 세상에 공짜는 없다.
아픈 상처 없기를 바라지 마오
아픔은 성숙해지게 하며 성장하게 한다.
상처 딛고 일어서는 성찰하는 교사
그대여 진정 괜찮은 교사다.

4장 학교 교육의 미래에 대하여

미래 수석교사의 역할은 무엇인가?

(초·중등교육법 제20조, 교직원의 임무)

> ③ 수석교사는 교사의 교수·연구 활동을 지원하며,
> 학생을 교육한다.

수석교사의 업무는 초·중등교육법 교직원의 임무 ③항에 "교사의 교수·연구 활동을 지원하며, 학생을 교육한다"로 되어 있다. 수석교사는 각 학교에 배치되면 주어진 업무를 하며 수석교사의 역할을 담당한다. 직무 활동은 수업과 교수활동과 연구 활동으로 구분할 수 있다.

수석교사의 교수활동이다.

현재 수석교사가 하는 직무 교수활동 과정에서의 핵심 업무는 크게 세 가지로 다음과 같이 요약한다.

첫째, 수업의 공개이다.

교내 및 교외 교사에게 매년 공개수업을 실시한다. 소속 학교에서 교내 공개수업을 실시하고, 교외 공개수업은 외부에 공문을 발송하여 실시한다.

둘째, 수업 컨설팅이다.

신규교사나 저 경력 교사들의 수업에 참관하고 수업 나눔을 하며 교수 방법과 수업 방법에 대하여 컨설팅한다. 재직 학교의 전 교사를 대상으로 수업 참관을 할 수 있다.

셋째, 교육실습생과 신규교사 멘토링이다.

교생에게 조언한다. 소속 학교 또는 지역의 신규교사 조언하여 교사 생활과 수업, 학교생활 업무와 학생 관계에 대하여 경험을 지원한다.

수석교사의 연구 활동이다.

수석교사의 연구 활동 핵심 업무는 다음과 같이 설명한다. 소속 학교나 교육청 단위의 교내 연수, 교육과정, 교수 학습 평가 방법의 개발과 보급을 한다. 교육과정 전달 연수, 기간제 교사 연수, 1정 교사 연수 등 다양한 연수를 하며 정보를 제공한다.

첫째, 교사 연수를 주기적으로 실시한다.

교사에게 교육과정 내용과 수업 관련 자료 제작, 학생 교육 및 상담에 대하여 필요한 내용을 연수한다.

둘째, 교사 교수 학습 자료 제공한다.

다양한 교수 학습 과정안, 새로운 교육 교수법 자료, 새로운 도서 등 자료를 제공하여 교사에게 도움을 준다. 연구물 보급이나 도서 출판이다.

셋째, 전문적 학습공동체 활동이다.

교내·교외의 전문성 향상을 위하여 활동한다. 수업 나눔 및 취미나 특기를 살려서 행복한 학교생활에 도움이 되도록 동료 교사와 함께 연구 활동한다. 교사 경험과 학생 생활교육 및 학부모 관계에 대한 경험을 정보 제공한다. 교사에게 수업에 관한 어려움을 듣고 해결하며, 수업 시간 학습활동 및 학습 방법에 대하여 많은 도움을 준다.

수석교사는 컨설팅에 대해 많은 아쉬움과 어려움도 많이 있다. 초임 교사의 경험과 10년 차 경험은 같지 않다. 마찬가지로 저 경력 교사의 경험, 20년 차 경험은 많은 차이가 있다. 신규교사는 경험과 경력이 많은 교사를 꼰대 교사라 생각하지 말기 바란다. 묻고 질문하며 경청하고 간접 경험을 많이 하는 자세가 우선이다.

수업 방법 개선에 대한 학습 방법으로는 활동 중심 수업을 안내한다. 강의식 수업은 수업의 정석과 같은 방법이다. 강의도 하며 적재적소에 적합한 수업을 구사한다.

교사는 학생에게 모범적으로 행동해야 하며 학생 한 명 한 명에게 맞춤형 교육을 할 때이다. 교사는 학생 앞에서 언행일치를 실행한다. 수업에 모범을 보이며 제대로 수행하는 게 수석교사의 태도이다. 위상은 풍토 조성이 우선이다. 그동안 풍토에 의하면 변한 게 거의 없다. 교직 사회의 학습조직화가 쉽지 않다. 노력할 뿐이다. 교학상장이고, 역지사지 마음으로 정보를 공유한다. 미래에도 수석교사는 교수·연구 활동을 지원할 뿐이다.

한국교육개발원의 수석교사제 정착 과제 보고서에 "수석교사들이 책임감 있게 자신의 역할을 다할 수 있도록 조정과 지원이 필요하다."라고 했다.

"수석교사라면 미래 교육이 요구하는 교사의 다양한 자질, 지식 등은 기본으로 소유하고 있어야 함과 동시에 앞으로 요구될 수밖에 없는 교사의 다양한 자질, 지식 등을 동료 교사에게 전달할 수 있는 능력 또한 지니고 있어야 한다. 이러한 능력은 지속적이면서 집중적으로 수석교사가 갖출 수 있도록 연수를 통해 배양해야 할 것."이라고 제언했다. 21)

---

21)『한국교육개발원 수석교사제 정착 과제』
https://www.kedi.re.kr/khome/main/research/selectPubForm.do

손자병법의 구절 "知彼知己 百戰不殆(지피지기 백전불태)"를 해석하면 '적을 알고 나를 알면 백번 싸워도 위태로움이 없으며, 적을 알지 못하고 나를 알면 한 번 이기고 한 번 지며, 적을 모르고 나를 모르면 싸움마다 반드시 위태롭다'라는 뜻이다.

학생들에 대해 잘 분석하고 관찰하고 상담해야 한다. 학생이 적은 아니고 상대를 제대로 파악해서 교육해야 한다는 의미다. 교사는 교과에 대해 깊고 넓은 지식과 전문적 식견을 가지고 있다. 지식과 태도를 함양하도록 열심히 가르친다. 교사로서 학생 개개인을 맞춤형 인성교육을 꾸준히 해야 한다는 사명감이 있다.

요즘 우리나라 학교는 학생들의 무례가 이루 말할 수 없는 상황에서 빨간불이 켜진 상태이다. 교사는 좋은 수업을 위해 안간힘을 쏟고 있지만, 교사의 수업권과 존중에 대해 이미 바닥을 치고 있다. 수업 시간 교실 붕괴의 심각한 위기에 걱정이 앞선다. 이쯤 되니 학생들에 대한 열정과 사랑이 식을까 걱정이다. 교사는 교육에 대한 열정, 노력과 실천은 교직에 대한 긍지와 보람으로 사는 것이다. 디지털 대전환 시대에 유·초·중·고등학교 교사는 역량을 강화하는 일은 중요하다.

교사는 다른 직업보다 실천적 경험 지식이 중요하다. 직접 또는 간접 경험의 역량이다. 더 중요한 것이 있다. 가르칠 내용을 잘 알고 있는 것과 학생이 잘 배울 수 있도록 잘 가르치는 역량은 다르다. 나의 일에 조급해하지 말고 조바심 내지 말고, 성숙함을 보여주고 잘할 수 있는 만큼 최선을 다하기를 다짐해 본다.

내가 하는 일을 사랑하자.

생각을 바꾸자. 생각을 바꾸면 수업이 바뀐다.

나는 무엇을 잘할까?

I CAN DO IT

수업 컨설팅의 방향

수석교사 역량 함양이 필요하다

학교에서는 수석교사가 할 수 있는 일과 할 수 없는 일, 그리고 해서는 안 되는 일 많이 있다. 수석교사는 각 시·도교육청 사정에 따라 지역 특성에 맞게 각 학교에 배치된다.

수석교사의 직무가 교육부의 지침도 없고 시도교육청에도 명확히 규정이 없다. 각 학교에서 교장과 교감, 그리고 수석교사 간의 역할 및 책임 범위는 매우 구체적으로 시행령에 언급되어야 한다. 특별한 규정이 없으니 각 학교에서는 적절하게 업무를 수행한다. 수석교사는 학기 중에 진행하거나 추진하는 업무가 여러 가지다. 우선 소속 학교에서 교사가 수업해야 하며 해당 교과에 대해 동료 교사, 기간제교사, 교육실습생에 대한 컨설팅을 담당한다.

학생 주도형 수업, 어떻게 할까?
학교는 수업이 기본이다. 수업에서는 교과 내용의 지식 교육을 우선으로 한다. 교실의 학생에게 생활지도 하면서 개인별 맞춤형 교육을 해야 한다.

교실의 학생 수가 많아 현재는 쉽지는 않다. 요즘 학생들 정말 배우려고 하지 않고 수업 시간 예절을 지키지 않는 학생들이 증가하고 있다. 일부는 아예 교사를 무시하는 행동을 한다. 수석교사도 태도 지키기가 힘들다. 일반교사도 마찬가지일 것이다. 수업이 점점 힘들어지고 있는 이유가 이것이다. 교사는 수업하는 교실에서 행복해져야 하는데 걱정이다.

학습지도 관련 학교 내 여러 과정에서 전문가로서 역할 수행한다. 시·도 교육청, 소속 지역교육지원청 차원에서 해당 교과 연구수업 등을 참관 및 조언, 현장 연구 및 수업 연구대회 등 컨설팅 장학 활동과 교과 컨설팅을 한다. 일부 연수기관 등에서 강의도 한다. 단위 또는 지역 학교별로 또래 교사의 주제별 전문적 학습공동체 학습조직화가 이루어지도록 지원하며 추진하는 경우가 많다.

수석교사 스스로 교사의 전문성이 신장 될 수 있도록 지속해서 필요한 지식과 정보를 습득하는 연수 이수를 해야 한다.

교사를 위한 교사로 동료 교사들에게 다양한 지식과 정보를 제공해야 할 의무가 있다. 그러기 위해서는 동료 교사들보다 앞서 노력하고 준비하고 앞장서야 한다. 교사를 지원하는 역할에 노력하면서 앞으로 얼마큼이든 좋아지길 기대한다.

수석교사들이 습득해야 할 지식과 정보가 무엇인지를 파악하기 위해서는 우선 미래가 요구하는 교육과 교사의 역량을 살펴보아야 한다. 교사의 전문성은 곧 수석교사의 전문성과 크게 다르지는 않다. 미래 교사에게 요구되는 다양한 역량과 지식은 수석교사에 요구되는 것이 아니라 모든 교사에게 요구되는 것이다.

한국교육개발원의 『수석교사제 정착 과제 보고서』에 있는 내용 중 수석교사의 역할과 요구되는 자질에 해당하는 일부분이다. 보고서 내용이 10여 년이 지났다. 우리에게 던지는 메시지는 명확하다.

"미래 사회가 요구하는 교육을 담당할 미래의 교사는 자질 및 태도는 다음과 같다.
폭넓은 안목(글로벌 안목) 긍정적이며 적극적인 사고방식과 태도, 학생에 관한 관심과 배려(학생 존중), 학교(학급) 경영을 위한 창의적 리더십 및 적극적 참여 자세 전문 지식 및 역량, 교과에 대한 전문 지식, 비교과(창의적 체험 활동)에 대한 전문 지식, 강의, 실험, 실습, 토론, 대화, 수업 등을 할 수 있는 수업 전문성, 수행평가, 지필평가, 고사 관리 등을 수행할 수 있는 평가 전문성 등이다"라고 언급했다.

벤자민 프랭클린은 "말하면 잊어버리고, 가르쳐주면 기억할 수 있고, 참여하면 배울 수 있습니다."라고 말했다. 교육은 참여이고 행동으로 하는 것이다. 교육은 배운 것을 행하는 것이다. 다양한 학습 방법 배운 것 아는 것 남에게 앎을 행하는 것이다. 가르치면 알게 된다는 의미다.

괴테는 "타인의 마음을 이해하는 일에는 요령이 있다. 누구를 대하든 자신이 아랫사람이 되는 것이다. 그러면 저절로 자세가 겸손해지고, 이로써 상대에게 좋은 인상을 안겨준다. 그리고 상대는 마음을 연다."라고 말한다. 내 마음이 중요한 것이 아니라 타인과 함께 행복하게 지내는 마음이 중요하다.

수석교사는 교사에게 교수 연구 활동을 지원하므로 좀 더 구체적이고 미래지향적인 전문성을 갖추어야 한다는 것이다.

수석교사는 필요한데 뽑지 않는다

　수석교사는 교사의 교수·연구 활동을 지원하며, 학생을 교육하는 교사이다. 2012년에 처음으로 도입되어 지금까지 운영되고 있다. 수석교사 제도 도입 당시 "10년간 1만 명 양성"을 공언했지만, 지금은 천 명도 안 된다. 이유는 수석교사의 선발은 지역교육청에서 맘대로 선발하기 때문이다.

　수석교사제가 안착하기 어려운 가장 큰 이유로는 정원 규제다. 현재 대부분 시도교육청은 수석교사 자리를 따로 확보하지 않은 채 '정원 내'로 학교에 발령한다. 수석교사 제도 법 제정 당시에는 수석교사를 학교당 1명씩 두기로 했다. 초창기엔 법과 제도에 문제가 있었는지 현재까지 수석교사 선발하지 않는 시도교육청도 있다. 수년간 선발하지 않는 일도 있다.

　수석교사제는 수업 전문성을 가진 교사를 우대하기 위해 교원 승진 체제를 이원화한다는 목적이다. 수석교사는 교사 연수, 수업 컨설팅 등을 한다. 수석교사의 필수 직무는 소속 학교에서의 수업 및 생활지도 컨설팅, 신임 교사와 교육실습생 지도, 연구 지원 및 강사 활동·연구 활동 등이다.

교육부에 요구한다

모든 학교에 수석교사 배치가 필요하다. 수석교사는 교육부에서 담당하여 정원 외로 선발해야 한다. 수석교사제의 문제점으로는 선발하지 않는 교육청과 각 교육청의 불안정한 제도 운용이다. 시·도교육청별로 상황이 다르고 단위 학교 교사나 학생의 요구도 제각각이다.

전체 교사의 수업 질 향상 및 교직 사회의 학습조직화 촉진하려면 역할과 직무의 권한도 필요하다. 학교 업무를 경감하고, 수업을 중시하는 학교문화를 정착시키는 것이 필요하다.

수석교사도 힘들고 지칠 때도 있고, 행복할 때도 있다. 수업을 잘해야 하지만 내 방법이 옳다고 가르치지 않는다.

교사는 상호 소통이 중요하다. 소통 못 하면 두통이 생기고 고통이다. 동료 교사와 관계 맺기를 잘해야 한다. 학교는 반면교사이고 교학상장이며 역지사지의 삶이 이루어지는 곳이다. 대한민국의 수석교사로서, 행복한 교사로 살아가기를 기대한다. 수업은 교육의 미래이다.

수석교사 직무 권한에 관하여 법령으로 컨설팅 장학을 할 수 있는 규정과 제도가 필요하다. 권한과 책임을 부여하길 기대한다. 수석교사는 학교 현장에서 교사에게 선도자 역할을 제대로 하고 싶다. 교육청에서 학교에 수석교사를 직급 정원 외 배치를 요구한다. 우리나라 법에는 1교 1 수석교사인데 시행하지 않고 있으니, 세상에 이런 법이 있나.

수석교사는 교학상장이다. 가르치며 배우고 깨닫게 되는 교사이다. 최고의 수업 전문가로 인정되어 선발되었지만 그러하지 않게 인정하는 학교 분위기가 걱정된다. 신규교사의 멘토 역할을 해야 하는데 원하지 않는 코칭과 상담을 형식적으로 하고 있다. 지지하고 격려하고 있지만, 수업 지원 컨설턴트 역할에 대하여 안타깝다.

수업하면서 더 좋은 높은 수준의 영역 수업을 연구하지만 보급되지 않고 있다. 자신만의 수업은 자신이 변화해야 발전한다. 연수 활동도 하고 전문적 학습공동체 안내도 하지만 배워 적용하는 데는 한계가 있다.

교육의 목적 달성이 우선이다. 교육의 목적은 인격 형성과 지식과 기능 태도의 역량을 함양시키는 것이다. 자신의 수업 스타일은 자신만이 변화할 수 있고 자신만이 잘 알고 있다. 누구를 위하여 수업을 변화해야 하는가?

수석교사 역량 발전을 위한 방안을 제시한다.

수석교사는 교사를 위하여 새로운 직무를 하고 있다. 법제화 십여 년이 지났지만, 새로운 직무도 창출해야 한다. 미래를 위하여 새로운 교육과정과 방법을 배우고 익혀야 한다. 미래지향적인 연구를 하려면 수석교사도 배워야 한다.

국내의 우수 사례를 발굴하여 수석교사 상호 간 배우고 나누는 연수가 필요하다. 해외 사례도 직접 관찰도 하고, 연구하고 공부해야 한다. 연구자, 개발자 역할을 한다. 수업에 적용하고 일반화하려면 시행착오도 거치게 된다.

수석교사는 교내 교외 공개수업을 하고 수업 전문성을 발휘하고 있다. 수업 우수 사례를 보급하고 교수 학습 자료도 공유하고 있다. 시대의 변화에 적응하고 대응하도록 준비해야 한다. 기초학력과 위기 학생을 지원하고, 학습조직화에 이바지해야 한다. 교사와 협력적 공동체 조직 구성하고 지원하는 역할도 하게 된다. 교과 연구회 연수 시간과 활동을 할 수 있는 시간도 주어져야 한다.

수석교사는 교육청과 교육의 목표를 달성할 수 있도록 지원하는 협력적인 워크숍도 정례화하는 시간도 필요하다.

지금 현 상황을 지켜봐도 미래에 크게 변함은 없을 것 같다. 교사도 학생도 제도도 바뀌어야 한다.

교사에게 어떻게 대우해야 하는가?
미래 인재 누가 가르치는가?
어떻게?

첫째, 학생이다.
학생은 맞춤형 교육이 필요하다. 그러려면 교실의 학생 수가 줄어야 가능하다.

둘째, 교사 지원이다.
교사가 연구하고 가르치는 업무에 집중하는 환경이 필요하다. 잘하는지 못하는지에 따라 공평하면 되겠는가? 수업 시간이 많으면 인력을 지원해야 한다.

셋째, 학교 교육 제도의 이원화이다.
수석교사 제도 목적에 맞게 승진제도의 이원화를 반드시 실현해야 한다. 행정업무와 수업에 대한 확실한 진로를 정해야 한다.

학교의 교원 승진제도 이제 바꿔야!

"학교의 교원 승진제도를 바꿔야 하는 이유는 무엇일까?
우리나라의 교직 승진제도는 일제 강점기에 만든 것이다.
즉, 100여 년 전에 학교 교육이 도입되면서 교장과 교감
이라는 체제가 만들어져 오늘날까지 이어져 왔다. 물론,
그동안 보완적 제도 개선이 안 된 것은 아니다.

~

결론적으로, 현재와 같이 초임 교사나 고경력 교사나 다
같은 교사라는 입장으로는 학교 현장에서 발생하는 여러
가지 다양한 사태에 능동적으로 대처할 수 없다고 본다.
특히나 저 경력 교사와 고경력 교사를 같은 동일한 교사
로 취급하고, 모든 업무를 1/N로 나누는 시스템으로는 각
자도생의 상태가 되어 버리기 때문에 학교 현장의 다양한
민원 발생과 같은 어려움을 해결하기 어렵다고 보기 때문
이다.
따라서, 교육활동 중에 최대한 사고나 학생 간의 갈등이
나 충돌이 생기지 않도록 교육적 지도를 충실히 해나가는
것이 중요하다고 본다. 교육적 지도 방법에 대해서는 바로
교원 간의 시스템에 의해 관리될 필요가 있을 것이다.
그 시스템은 교원의 4단계
(2급 정교사 - 1급 정교사 - 선임교사 - 수석교사) 자
격 체계를 구축할 필요가 있다고 본다. [22]

---

22) 김춘광 학교의 교원 승진제도 이제 바꿔야
https://blog.naver.com/chunk99/223384716307

교사는 자존감으로 산다

수석교사는 교육 전문가이고 현장 실천가이다. 한평생 학교에서 수업에 헌신하신 열정가이다. 동료 교원들에게 가르침의 보람을 느끼게 해주는 역할이다.

수석교사 역할은 교사의 교수·연구 활동을 지원한다. 추상적인 역할이다. 구체적으로 살펴보면 다음과 같다. 모든 교사는 학교 교육 과정에 참여하며 교육과정 재구성 및 평가 방법 개선에 노력해야 한다. 수석교사는 교내·외 수업을 공개하며, 모든 교사의 수업을 참관한다. 수업 컨설팅이 주 업무이다.

신규교사나 고경력 교사를 같게 보면 각자도생이다. 수석교사의 수업 컨설팅은 신규교사, 저 경력 교사, 중견 교사, 원로교사 타교 교사, 동 교과 교사, 기간제 교사, 시간제 교사, 방과 후 교사. 신규교사 수업을 참관하며 수업에 관한 모든 사항을 지원한다. 좋은 수업 방법을 교류하며 수업 나눔을 한다. 멘토·멘티 관계로 학생 지도와 학생 상담, 생활교육 및 학부모 상담 대처요령을 지원한다.

학교에 근무하는 교사, 관리자, 행정실 직원과 원만한 관계를 맺도록 노력한다. 교생, 신규교사 멘토링 및 경력 교사 연수, 전문적 학습공동체 활동을 한다.

교사는 누가 뭐라도 가르치는 게 좋아서 평생을 가르친다. 교사는 교사로서 삶을 살아야 하고, 학생을 가르치는 업무를 주 업무로 삼아야 한다. 학교의 수업과 학생 지도에 든든하게 서 있는 고목처럼 다양한 경험을 한 학교 교육 전문가다. 단지 교사, 학부모, 학생 그들의 배움에는 내 몫과 그들만의 몫이 함께하길 바랄 뿐이다.

교육자로서의 사명감은 영원하리라 믿고 싶다. 교사는 학교에서 가르치고 배우는 교육의 핵심 리더이다. 교사는 배워서 남 주는 삶이다. 나눔이 일상이다. 가르치면서 기쁨을 느끼며 감사를 하는 업이다. 가르치며 배우고 감사함에 감동하는 삶이다. 가르치는 일이 유쾌한 삶이고 상쾌한 일이다.
감사하는 삶이 깨달음의 삶이다.

4장 학교 교육의 미래에 대하여

미래 수업을 기대한다

4차 산업혁명 시대이다. 교육의 환경도 변하고 있다. 학생 수는 줄어들고 있어 개개인 한명 한명이 소중하다. 교실의 학생들은 맞춤형 교육이 필요하다. 해야 하지만 내실 있는 교육을 담당하는 교사의 수업 환경과 내용도 변해야 한다.

초·중등교육법에 있는 수석교사의 역할은 "교사의 교수·연구 활동을 지원하며 학생을 교육한다."이다.

현재 수석교사가 수행하는 구체적인 업무로는 수석교사 본인의 수업 공개이다. 신규교사와 저 경력 교사의 수업과 생활지도 컨설팅을 하며, 교사의 연수 활동을 한다. 그뿐만 아니라 연구 활동으로는 학습자료를 제공한다.

미래지향적인 수석교사 역할 수행을 기대한다. 국가는 수석교사 제도의 법과 규칙을 정비하고 보완하여 교육 발전에 부흥하는 역할을 부여해야 한다. 지금 교사의 교수활동에는 각자도생이다. 수석교사의 교수활동도 마찬가지다. 수석교사 개개인의 각자도생에 기대할 것이 아니라 각 학교에서 제대로 업무수행을 할 수 있도록 환경과 여건이 필요하다.

국가에 바란다.
교육청에 바란다.
학교에 바란다.
교사에게 바란다.
학생에게 바란다.
학부모에게 바란다.
모두에게 바란다,

국가는 우리나라의 의무교육을 책임지는 기관이다. 학생이 잘 배우고 교사는 잘 가르치도록 균형 잡힌 교육 환경을 조성하기를 바란다. 의무교육 기관인 학교가 공평하고 공정해야 나라가 바로 서는 것이다. 국가는 규칙과 질서를 바로잡는 교육 방법을 제공하기를 바란다.

교사를 신뢰하고 존중하는 사회 분위기 조성이 필요하다. 교사가 행복해야 학생이 행복하고 학생이 행복해야 학부모가 행복해진다. 교사의 교수 연구 활동을 지원하는 수석교사의 역할을 제대로 할 수 있도록 법적인 권한을 마련해야 한다. 대부분 교사는 컨설팅을 원하지 않고, 원하지 않는 수업 컨설팅을 의무적으로 하려니 서로 형식적으로 운영하고 있다.

4장 학교 교육의 미래에 대하여

『논어(論語)』「공야장(公冶長)」편에 나오는 공자의 일화에서 유래된 '불치하문(不恥下問)'이라는 말이 있다. "아랫사람이나 자기보다 못한 사람에게 묻는 것을 부끄러워하지 아니한다."라는 의미다. 모르면 누구에게나 질문하여 부끄럼 없이 배우기를 즐기고 진심으로 남의 가르침을 받아들이는 태도를 말한다.

교육은 배우고 가르치는 것이다. 교육하는 교사는 배우고 가르치는 자이다. 수석교사는 배우고 가르치고 연구하는 교사다. 학생을 가르치는 교사를 컨설팅하는 교사를 가르치는 교사가 수석교사이다.

교육 분야에서는 학력(學歷)이 중요한 게 아니라 학력(學力)이 중요하다. 학력은 새롭게 창조하며 탐구하고 분석하는 토론의 능력이 중요하다. 옳고 그름을 제대로 파악하는 비판적인 사고력도 필요하다. 학교 교육이 점수 높이는 게 목적이 아닌 것을 알면서 지속할 것인가? 이제는 바꿔야 미래가 보인다.

좋은 방법은 무엇인가?
새로운 것을 창조하려면 어떻게 해야 할까?

우리나라의 교육기본법을 살펴보자. 교육기본법은 우리나라 교육 제도에 대한 기본법이며, 교육과 행정의 기본 지침이 되는 법률이다.

대한민국의 교육기본법 제1장

제1조 (목적)

이 법은 교육에 관한 국민의 권리·의무 및 국가·지방자치단체의 책임을 정하고 교육 제도와 그 운영에 관한 기본적 사항을 규정함을 목적으로 한다.

제2조 (교육 이념)

교육은 홍익인간(弘益人間)의 이념 아래 모든 국민으로 하여금 인격을 도야(陶冶)하고 자주적 생활 능력과 민주시민으로서 필요한 자질을 갖추게 함으로써 인간다운 삶을 영위하게 하고 민주국가의 발전과 인류공영(人類共榮)의 이상을 실현하는 데에 이바지하게 함을 목적으로 한다.

우리나라의 경제 분야는 선진국이나 교육을 확대경으로 살펴보면 중진국에 머무르고 있는 수준이다. 현재 교육은 남의 것을 따라 배우는 정답 찾는 교육이 대세이다. 이제는 수준 높이는 다른 방법이 필요하다. 우리나라는 선진국 시스템으로 바꿔 앞장서는 나라가 될 것으로 기대한다. 우리 교육도 새롭게 바꿔야 한다.

4장 학교 교육의 미래에 대하여

미래는 교육 분야의 새바람이 필요하다. 그동안 정답을 찾는 교육을 열심히 잘해 왔다. 이제는 달라져야 한다. 교육 혁신, 개선, 패러다임 전환이다.

정답을 찾는 교육도 중요하겠지만 미래를 위하여 조속히 바꿔야 한다. 문제를 해결하는 교육이다. 다만 바뀌어야 할 내용과 시점이 지금이다. 과거 지식 암기 위주의 교육을 바꿔야 한다. 고정관념을 버려야 한다. 창조의 교육이 필요하다.

학생들에게 질문을 만드는 사람으로 키워야 한다. 문제를 찾고 문제를 해결하는 교육이 필요한 시점이다. 문제를 만드는 교육, 문제를 찾는 교육, 문제를 해결하는 가치 있는 교육이 필요하다. 교사들이 능력을 발휘할 수 있도록 환경 조성하면 그 성과는 학생에게 돌아간다. 미래는 교사들의 사명감에 달려있다.

우리에게 집단지성이 필요한 시대이다. 인성이 진짜 실력이되는 시대이다. 과거와 현재 교육의 방식은 달라도 현재와 미래 교육의 목적은 인격이 올바르게 형성된 민주시민이다. 인류에 이바지하는 홍익인간의 이념과 가치를 실천하는 미래 인재 양성이 중요하다.

교육기본법 제9조(학교교육) 이다

대한민국의 교육기본법 9조 학교 교육에 관한 내용이다.

교육기본법 제9조

제9조 (학교 교육)

① 유아교육·초등교육·중등교육 및 고등 교육을 실시하기 위하여 학교를 둔다.

② 학교는 공공성을 가지며, 학생의 교육 외에 학술과 문화적 전통을 유지·발전시키고 주민의 평생교육을 위하여 노력하여야 한다.

③ 학교 교육은 학생의 창의력 계발 및 인성(人性) 함양을 포함한 전인적(全人的) 교육을 중시하여 이루어져야 한다.

④학교의 종류와 학교의 설립·경영 등 학교 교육에 관한 기본적인 사항은 따로 법률로 정한다.

교육기본법 제9조 ③항 "학교 교육은 학생의 전인교육을 중시하여야 한다"이다.

학교는 전인교육을 중시하며 가르치느라 고생이 너무 많다. 요즈음 학교는 수능 대학입시 준비하는 기관처럼 느껴진다. 대한민국 모든 학교가 다 그러하지는 않다. 교육기본법의 인간 세상을 널리 이롭게 한다는 의미를 되새기며 대한민국의 전인교육을 바르게 실천할 때이다.

교육기본법 제9조 ②항은 "학교는 공공성을 가지며, 학생의 교육 외에 학술과 문화적 전통을 유지·발전시키고 주민의 평생교육을 위하여 노력하여야 한다. 그리고 주민의 평생교육을 위하여 학부모 교육을 추진하고 노력하고 있다. 학교는 학생을 가르치고 학부모를 위하여 성실하게 추진하고 있다. 교육 내용에 감사하고 고마워하면 좋은 일이다.

③항은 "학교 교육은 학생의 창의력 계발 및 인성(人性) 함양을 포함한 전인적(全人的) 교육을 중시하여 이루어져야 한다."이다. 학교는 학생의 인성 함양과 창의력을 계발시키는 곳이다. 따라서 공익적 요소는 매우 중요하다. 전통을 유지하고 발전을 위해 공공성을 가지며 공익을 발휘해야 한다.

미국의 케네디 대통령은 "국가는 시민의 하인이지 주인이 아니다."라고, 말했다. 국가는 학교에서 학생들의 창의력 계발을 위한 교육을 해야지 입시 위주의 교육을 하는 것은 법의 어디에도 없다. 단지 시험을 치르고 성적을 매겨 석차로 학생을 점수로 줄을 세우는 것이다.

교육기본법 12조(학습자)이다

학교는 학생을 교육한다.

교육을 받는 "학생은 학습자로서의 윤리 의식을 확립하고, 학교의 규칙을 준수하여야 하며, 교원의 교육·연구 활동을 방해하거나 학내의 질서를 문란하게 하여서는 아니 된다."라고 교육기본법에 기록되어 있다. 다만 이 법을 지키지 않으니 걱정이다.

교육기본법 제12조(학습자)

제12조(학습자)

① 학생을 포함한 학습자의 기본적 인권은 학교 교육 또는 평생교육의 과정에서 존중되고 보호된다. <개정 2021.9.24>

② 교육 내용·교육 방법·교재 및 교육시설은 학습자의 인격을 존중하고 개성을 중시하여 학습자의 능력이 최대한으로 발휘될 수 있도록 마련되어야 한다.

③ 학생은 학습자로서의 윤리 의식을 확립하고, 학교의 규칙을 준수하여야 하며, 교원의 교육·연구 활동을 방해하거나 학내의 질서를 문란하게 하여서는 아니 된다.

학생은 학교의 규칙을 준수하여야 하도록 학교 교칙이 있다. 다만 이를 지키지 않을 때 학교의 사정에 따라 많이 적용하지 않는 때도 있다.

4장 학교 교육의 미래에 대하여

훈계하며 규칙 적용하면 민원 발생하기 때문에 그냥 무시하다 보니 습관 되었나 보다. 오늘날의 학생이 예절을 잘 지키지 않는 것 같다.

교사의 교육권은 공적인 교육체제에서 학부모의 위임을 받아 학교에서 아동을 교육하는 성격을 지니고 있다. 교사의 교육권은 교사의 직권에 의해 성립되는 것으로 보고 있다.

학교장은 징계와 관련하여 학생을 지도할 때는 학칙이 정하는 바에 따라 훈육 · 훈계 등의 방법으로 하되, 도구, 신체 등을 이용하여 학생의 신체에 고통을 가하는 방법을 사용해서는 아니 된다. 학교의 장은 교육상 필요한 때에는 법령 및 학칙이 정하는 바에 의해 학생을 징계하거나 기타의 방법으로 지도할 수 있다. 그럴 뿐만 아니라 학교장은 교육상 필요하다고 인정할 때는 학생에 대하여 다음 어느 하나에 해당하는 징계를 할 수 있다.

학교 내의 봉사, 사회봉사, 특별교육 이수, 1회 10일 이내, 연간 30일 이내의 출석정지를 할 수 있다. 학생의 보호자와 학생의 지도에 관하여 상담을 할 수 있다. 단, 의무교육 과정에 있는 학생을 퇴학시킬 수 없다.

교육기본법을 제14조(교원) 이다

교원의 신분은 존중된다. 교육기본법에 제시된 교원(敎員)의 신분에 관한 내용이다.

교육기본법 제14조(교원)

① 학교 교육에서 교원(敎員)의 전문성은 존중되며, 교원의 경제적·사회적 지위는 우대되고 그 신분은 보장된다.

② 교원은 교육자로서 갖추어야 할 품성과 자질을 향상시키기 위하여 노력하여야 한다.

③ 교원은 교육자로서 지녀야 할 윤리 의식을 확립하고, 이를 바탕으로 학생에게 학습 윤리를 지도하고 지식을 습득하게 하며, 학생 개개인의 적성을 계발할 수 있도록 노력하여야 한다. <개정 2021. 3. 23.>

④ 교원은 특정한 정당이나 정파를 지지하거나 반대하기 위하여 학생을 지도하거나 선동하여서는 아니 된다.

⑤ 교원은 법률로 정하는 바에 따라 다른 공직에 취임할 수 있다.

⑥ 교원의 임용·복무·보수 및 연금 등에 관하여 필요한 사항은 따로 법률로 정한다.

4장 학교 교육의 미래에 대하여

교원(敎員)의 신분보장에 대하여 ①항은 "학교 교육에서 전문성은 존중되며, 교원의 경제적·사회적 지위는 우대되고 그 신분은 보장된다."이다. 교사의 전문성이 존중되고 우대되고 있는지는 교원들만 안다.

지금의 사회와 학교 상황은 어떠한가?

사회적 측면에서 ②항을 준수하려 교원은 교육자로서 갖추어야 할 올바른 품성과 가르치는 데 필요한 자질을 향상시키기 위하여 큰 노력을 한다.

일부 교원은 사회적으로 손가락질받기도 한다. 교원 한 사람이 저지른 나쁜 짓으로 인해 그 사람의 속한 교원단체의 이미지를 수치스럽게 만드는 경우가 가끔 발생한다.

속담으로는 '어물전 망신은 꼴뚜기가 다 시킨다'가 있다.

그렇다고 교원을 어물전으로 표현하는 것은 절대 아니다. 속담을 속담으로 이해해야 한다. 맑은 웅덩이에 미꾸라지 한 마리라 생각하면 된다. 교육자로서 지녀야 할 윤리 의식을 확립하고 모범적인 행동을 보여야 하는 게 교원이다.

③항을 실천하는 교원으로서 학생에게 학습 윤리를 지도하고 지식을 습득하게 하는 과정에서 문제점이 많이 발생한다. 학생들은 질서와 규칙을 어기는 경우가 많아지고 있다. 말로 윤리를 가르치고 있으나 듣지도 않고 실천하지도 않는다. 어찌하랴. 특별한 방도가 없다. 교사의 생활교육도 점점 힘들어지고 있다. 학생들의 학교생활 교육법 실천이 필요한 시점이다.

④항은 "특정한 정당이나 정파를 지지하거나 반대하기 위하여 학생을 지도하거나 선동하여서는 아니 된다."이다.

요즈음 사회 현상으로 보면 법은 이렇게 되어 있다지만 현재 학교의 상황은 거리가 멀다. 현재 우리나라 교사는 정치활동을 할 수 없는 구조이다. OECD 평균 수준이라도 된다면 더할 게 없다. 정치적 중립이 대한민국 교육을 성장시켜야 하는데, 교육의 발전을 위해 교사의 말을 듣지도 않고 묻지도 않는다. 한마디로 답답한 상황이다.

과거 유행했던 노래 가사 "바꿔 바꿔 모든 걸 다 바꿔" 생각난다. 모든 국민이 행복한 세상을 만들어 갈 수 있을지 걱정만 한다.

교사는 배우며 가르치는 학생이다

교사에겐 교과 전문성을 갖추고 있다. 가르치는 분야에서 인정받은 교사자격증을 취득하고 국가에서 실시하는 임용고사를 거쳐 교사가 된다. 신규 임용 교사는 연수를 받고 학교에서 학생을 가르치게 된다. 가르칠 내용을 잘 알고 있는 것과 잘 가르치는 역량은 다르다.

교사에게 더 높은 수준의 역량과 실무 능력이 요구되고 있다. 교사는 함께 배우고 성장하는 수업 나눔 문화가 중요하다. 교사의 경험을 나누는 활동을 통해 교사 전문성 또한 함께 신장할 수 있다. 교사의 자발적인 사례 나눔을 바란다. 그 때문에 이 글을 작성하고 있다. 물론 수업 방향과 교사의 역할에 정석도 아니며, 정답이 될 수는 없다. 단지 경험을 나열한 내용이다.

학교는 무엇을 가르쳐야 할까?
학교에서 어떻게 가르쳐야 할까?
학교에서 왜 가르쳐야 할까?

경제협력개발기구인 OECD는 2019년 학습자를 중심에 놓고 학습의 개념적 틀을 규정하고자 하는 'OECD 학습 나침반 2030(OECD Learning Compass 2030)'을 발표했다. [23)]

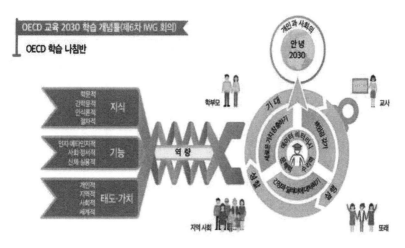

이때 학습자에게 중요한 역량으로 세 가지 '변혁적 역량 (transformative competencies)'을 강조하고 있다.

위 그림에서 제시한 학습 프레임워크는 미래 사회를 살아 갈 개인이 갖추어야 할 주요 변혁적 역량 3가지이다. 주요 역량 지향점인 변혁적 역량 (Transformative Competencies)을 새로운 가치 창조하기(Creating New Value), 긴장과 딜레마 에 대처하기(Reconciling Tensions & Dilemmas), 책임감 갖기(Taking Responsibility) 등의 세 가지를 포함하는 것으로 제시하고 있다.

---

23) 서울교육 OECD 교육 2030 : 미래 교육과 역량
   https://webzine-serii.re.kr/oecd-교육-20301-미래-교육과-역량/

4장 학교 교육의 미래에 대하여

2030년대의 새로운 사회에서는 새로운 가치를 창조할 수 있는 역량, 즉 창의적인 아이디어를 통한 경제활동과 새로운 생활방식, 사회적 모델 등을 개발할 수 있는 능력을 강조한 것으로 볼 수 있다.24)

21세기형 신학습 역량 모델인 사회정서 학습 SEL모델 (Social and Emotional Learning, SEL)을 제시하였습니다.

사회정서 학습모델의 3대 스킬은

① 학습자들이 일상에서 핵심기술을 어떻게 적용할지를 의미하는 '기초문해'

② 복잡한 도전 상황에 대처하는지를 의미하는 '역량'

③ 변화하는 환경에 어떻게 대처해야 하는지를 보여주는 '인성 자질'로 구성되어 있습니다.25)

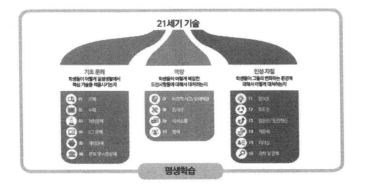

24) 한국 교육신문   https://www.hangyo.com/news/article.html?no=97869

25) 교육부 블로그 4차 산업혁명 시대의 평생교육
https://if-blog.tistory.com/8283

변화하는 교육과정

교직 경험하는 동안 교육과정이 여러 번 바뀌었고, 교과서 내용도 많이 변했다. 과거 기술 교과서에는 책꽂이 만들기, Basic 프로그램의 구조, 등이 있었는데, 요즘 교과서는 인공지능(AI)과 로봇 코딩이 등장했다. 인공지능(AI)이 바꿀 세상은 너무나 무궁무진하다. 교육 내용, 교육 방법, 평가 방법, 교육 대상도 빠르게 변화하고 있다.

교육의 목표는 과거나 지금이나 명확하다. 바로 개인이 가진 고유한 잠재력을 극대화하는 것이다. 교육은 인격 형성이요, 민주시민 양성임을 잊지 말아야 한다. 교육 이념은 "홍익인간"이다.

과거나 현재나 변하지 않는 것은 수업 시간 45분(초등 40분, 중학교 45분, 고등학교 50분)이다. 어찌하리. 교사는 정해진 수업 시간에 최선을 다하는 삶이다. 교육에 관한 말이다. '19세기 교실에서 20세기 선생님이 21세기 아이들을 가르친다'라는 말이 있다. 이 말의 의미는 변화이다. 바뀌어야 한다. 19세기 학교 환경이 아직도 존재하고 있다. 교육 환경을 제대로 꾸며주길 기대한다.

청소년 시기는 교과의 개념과 지식을 제대로 배우고 익히는 때이다. 자신에 맞는 적성과 진로를 찾는다면 훌륭한 교육이다. 세상은 너무나 빠르게 변화하고 있다. 사회도 변하는데, 학교 시스템만 변하지 않는다고 말한다. 학생도 변하고, 교과서도 변하고, 시험문제도 변하는데 변하지 않는 게 수능 입학 시험 제도이다. 언제 개선될지 궁금하다.

인공지능이 우리 눈앞에 나타나는 시대이다. 좋은 기술을 교육에 활용하면 교육효과가 크다고 여기는 사람도 많이 있다. 변화하는 세상에 인공지능(AI)이나 메타버스(Metaverse)를 활용하는 교육의 방식도 도입해야 한다. 인공지능 로봇도 등장하고 있다. 미래 기술은 사람을 위한 기술로 변화해야 인정받는다. 기술은 사회를 발전시킨다. 기술은 미래를 위하여 부가가치가 큰 교육이다.

무엇을 어떻게 가르쳐야 할까?

ChatGPT도 등장했다. 더욱 빠르게 변화하는 인공지능 시대는 질문하는 능력이 중요해진다. ChatGPT를 교육에 활용하여 학생들의 창의성과 전문성, 인성 역량을 함양해야 한다. 교육과 평가 방식도 변화의 필요성이 요구되고 있다. 오감 만족을 주는 교육 방법으로 변화를 기대한다.

세르반테스는 "한 분야에서 전문가가 되기 위해서는 기술뿐만 아니라 연장도 훌륭해야 한다."라고 했다. 교사는 전문가다. 수업 전문가요 학생 상담 전문가이다. 교사는 시대의 변화에 따라 앞장서는 전문가다. 수업기술뿐만 아니라 에듀테크도 활용하는 게 변화하는 교사이다. 변해야 살아남는 게 교사다.

2022 개정교육과정에서는 '깊이 있는 학습'을 추구한다. 에듀테크 활용 수업도 이러한 깊이 있는 학습의 맥락에서 이루어져야 한다. 에듀테크가 자신의 흥미와 수준에 맞는 수업을 할 수 있도록 도와주는 보조교사가 되길 바란다.

미래 교육은 평생학습이다

4차 산업 혁명이란 말이 사용된 후 시간이 많이 흘렀다.

디지털 시대 인공지능 로봇이 등장하고, 학생도 많이 변화하고 있다. 학교문화도 시대에 걸맞게 합리적으로 개선하여야 한다. 학교를 업무 중심에서 수업 중심으로의 변화가 필요함을 느끼며 개선이 되길 촉구한다.

21세기 핵심역량 4C를 강조했다.

4C는 의사소통 능력(Communication), 협업 능력(Critical Thinking), 비판적 사고능력(Critical Thinking), 창의력(Creativity)을 다시 강조한다. 이제는 추가로 필요한 능력이 요구된다. 바로 창의 융합 능력이다. 또한 컴퓨터활용능력(CQ)과 융합 능력은 필수이다. 새로운 정보를 습득한 후 기본 정보와 융합할 줄 아는 능력을 말한다. 이는 기존의 '전화기＋인터넷＋MP3＋녹음기＋카메라' 기능이 합쳐져서 스마트폰을 탄생시킨 것이다. 이제는 창의적인 융합인재가 필요한 시대이다.

교육 환경의 변화에 적절하게 적응해야 한다. 기존의 학교 업무를 통합하고 새롭게 재배치하여 교사 중심에서 학생 중심으로 변화를 요구한다. 공간 혁신이 이루어지고 있으며 지역과 함께하는 마을 교육도 정착이 되어야 할 때이다. 한 명의 아이를 교육하는데 온 마을이 나서는 것은 필요 충분 조건이다.

학생 한 명 한 명 맞춤형 교육이 절실하게 필요한 시기이다. 지금이 적기이며 기회가 될 것이다. 공부의 진정한 의미를 다시 기억하며 역량 함양 및 역량 강화를 해야 한다. 개인의 창의성과 인성이 제일이다. 이를 위한 교육이 기본이 바로 서는 교육이다.

미래 변화에 능동적으로 대처해야 하지 않겠는가?
학교와 국가는 책임을 지는 게 정상이 아니겠는가?

홍익인간은 우리나라 교육의 이념이다. 미래는 홍익인간 이념으로 인간다운 삶을 영위할 수 있도록 필요한 능력을 길러주어야 할 것이다. 미래형 교육과정을 기대한다. 미래형 교사 양성 시스템도 변화해야 한다. 교사의 미래 역량도 함양되길 희망한다. 수석교사는 경험이 많은 나이 많은 교사가 많다. 한마디로 말하면 학교의 어른이다. 꼰대 교사 소리 듣거나 노인 교사 소리 듣기도 한다.

꼰대 교사는 누구인가?

안타깝지만 이런 소리를 듣는 것은 어쩔 수 없다. 내가 정신상태와 복장과 언어, 열정에서 젊어져야 한다. 수석교사는 노인(老人)이 아니다. 노인이 아니라 수업 경험이 많은 수업 Know인(人)이 되는 것이다. 수업의 달인이다.

학교에서 어떤 노인으로 살 것인가?

삶의 지혜와 경험을 가진 Know인(人)이다.26) 한 걸음 한 걸음 걸어간다. 걷다 보면 동행이 나타나길 기대한다. 노인은 노인의 정신과 자세가 있다. 나이 먹은 사람은 노인십(Know인(人)Ship)을 발휘해 보자. 노인이니 대접을 받으려고 할 게 아니라 삶의 지식과 지혜를 바르게 전해주어야 한다.

지금의 노인은 우리나라 근대와 현대 역사의 산증인이다.

노인은 가정, 사회, 국가에서 인정해 주고 존중해야 주어야 하는 어버이다. 노인은 지식인이다. 노인은 지혜로운 자이다. 사람이 오랜 기간 살아가는 것은 어마어마한 일이다.

---

26) 『삶의 지혜와 경험을 가진 선배 시민인』
    동양일보(http://www.dynews.co.kr)
http://www.dynews.co.kr/news/articleView.html?idxno=623786

대한민국 노인천국을 기대한다. 노인은 후대에 지혜를 제공한다. 노인(老人)은 노인(勞人)이 아니다. 그냥 노인(Know인(人))이다.

유대인 격언에 "늙은 사람은 자기가 두 번 다시 젊어질 수 없다는 것을 알고 있지만, 젊은이는 자기가 나이를 먹는다는 것을 잊고 있다."를 되새기게 된다. 학생들을 보면 내가 나이 많은 걸 잠시 모를 때가 있다. 어린 학생들에게는 세상을 바라보는 분별력과 삶에 대한 가치가 다름을 알려주게 된다. 잔소리가 아니라 나에게 유익한 보약이다.

학교는 장유유서(長幼有序)의 질서가 있음을 제대로 알려준다. 규칙을 지키며 미래를 준비하는 기본을 가르친다.

벤저민 프랭클린은 "이 세상에서 가장 훌륭한 질문은 바로 이것이다. 내가 이 세상에 살면서 잘할 수 있는 것은 무엇일까?"라고, 말했다. 학교에서는 교직원과 학생들이 어울리며 지내는 공간이다. 한 해 한 해 지내보면 나이를 먹는다는 것을 잊을 때가 많다. 생활에서 어른들을 대하는 태도 경로효친(敬老孝親)을 강조한다. 어른 공경 의식에 청소년들의 버릇없음은 어느 시대에나 기성세대의 눈에 거슬린다. 다만 태도와 가치관을 중시하게 된다.

노인이 가장 잘할 수 있는 일은 경험을 제공하는 것이다. 노인은 지식인이며 지혜로운 사람이다. 신규교사도 학생들보다 나이가 많으니까 노인이다. 수석교사는 신규교사에게 성장하는 어른이 되도록 안내해야 한다. 신규교사도 학생들에겐 나이 많은 어른이고 노인(老人)이다.

노인은 노인(Know인)이다. 교사는 노인(Know인)이며, 수석교사도 Know인이다. 서로 사랑하고 사랑 나누는 노인(Know인(人))이 되길 희망한다. 교사의 삶 참 아름답고 보람차다. 우리나라 학교의 노인(Know인)을 사랑하자. 행복한 노인(Know인)이 즐겁게 사는 나라 학교를 바란다.

노인천국(Know人천국)
대한민국 노인천국(Know人천국) 만만세~
Bravo, Bravo, Your Life!

교육은 홍익인간 양성이다

배운다는 것은 무엇인가?
미래를 위한 대비는 무엇일까?
지금의 학생들은 무엇을 배워야 할까?

우리나라는 세계에서 교육열이 가장 높은 나라이다. 오래전부터 입신양명을 위해, 가난을 벗어나기 위해, 공부를 열심히 했다.

지금도 마찬가지이다. 교육 환경이 좋다고 하는 곳은 교육열이 뜨겁다. 지금도 부모들은 교육에 관심을 가지고 열심히 자녀 교육을 지원하고 있다. 이유는 다양하지만 모두 미래를 위하여 최선을 다해 노력하는 것이다.

맹모삼천지교(孟母三遷之敎)는 "맹자의 어머니가 아들의 교육을 위해 세 번 이사를 한 가르침"이다. 교육(敎育)을 위해 좋은 환경을 찾아 세 번이나 이사한 맹자 어머니의 이야기다. 자녀 교육은 주변의 환경이 매우 중요하다는 뜻이다.

4장 학교 교육의 미래에 대하여

대한민국 『교육기본법 1장』이다.

교육기본법은 우리나라 교육 제도에 대한 기본법이며, 교육과 행정의 기본 지침이 되는 법률이다. 대한민국의 교육기본법 제1장 교육 목적과 교육 이념이다.

교육기본법 제1장 총칙

> 제1조 (목적)
> 이 법은 교육에 관한 국민의 권리·의무 및 국가·지방자치단체의 책임을 정하고 교육 제도와 그 운영에 관한 기본적 사항을 규정함을 목적으로 한다.
>
> 제2조 (교육 이념)
> 교육은 홍익인간(弘益人間)의 이념 아래 모든 국민으로 하여금 인격을 도야(陶冶)하고 자주적 생활 능력과 민주시민으로서 필요한 자질을 갖추게 함으로써 인간다운 삶을 영위하게 하고 민주국가의 발전과 인류공영(人類共榮)의 이상을 실현하는 데에 이바지하게 함을 목적으로 한다.

홍익인간(弘益人間)은 대한민국의 비공식적인 국시로, "널리 인간 세상을 이롭게 하라" 홍익인간은 '널리 인간 세상을 이롭게 한다'라는 의미다. [27]

---

27) 위키백과 홍익인간
    https://ko.wikipedia.org/wiki/홍익인간

앨빈 토플러(Alvin Toffler, 미래학자)는 "21세기 문맹인은 읽고 쓸 줄 모르는 사람이 아니라, 배운 것을 잊고, 새로운 것을 배울 수 없는 사람이다"라고 말했다.

배움이란 새로운 세상을 대비하라는 의미다. 미래는 상상력이 중요하고, 공부하고, 정보화 능력을 배우도 익혀야 한다는 주장이다. 또한 "한국의 학생들은 하루 15시간 이상 학교와 학원에서 미래에는 존재하지도 않을 지식과 직업을 위해 공부한다."라고 지적했다. 단순한 지식을 암기하는 공부가 아니라 미래를 위해 새로운 지식을 학습해야 한다는 메시지를 전하고 있다. 그리고 "미래는 예측하는 것이 아니고 상상하는 것이다. 따라서 미래를 지배하는 힘은 읽고, 생각하고, 정보를 전달하는 능력에 의해 좌우된다"라고 말했다.

공자는 논어 학이편 제1장에,

"學而時習之 不亦說乎

(학이시습지 불역열호)",

"배우고 때때로 익히면 또한 즐겁지 아니한가."라는 말이다.

배우고 익히는 게 학습이고 공부다. 무엇을 알려면 즐거움으로 배워야 잘 알게 되는 것이다. 지식은 배우고 익힌다는 뜻이다. 미래를 위해 새로운 것을 생각하고, 평생 배우는 마음가짐으로 학습하는 태도가 중요하다는 의미다.

공부는 학문이나 기술을 익히는 것이다. 학문이든 기술이든 제대로 배우는 게 아는 것이다. 모르는 것을 아는 게 지식이 되고, 알아가는 게 지혜이고, 공부하는 삶이 인생이다. 앎은 우리의 삶이다. 지식이 지혜가 되는 것은 앎을 실천하는 삶이다.

"교육의 목적은 기계를 만드는 것이 아니라, 인간을 만드는 데 있다."라고 루소는 이야기했다. 교육은 인격의 형성이다. 지식에 대한 기쁨과 인간으로서의 배움의 가치를 의미한다.

"세상은 아는 만큼 보인다"라고 하지 않던가. 평생교육이 중요한 시대이다. 지금까지 배운 지식도 중요하다. 세상을 지혜롭게 살려면 더욱 배워야 한다. 미래를 위해 새로운 것을 평생 배우는 마음가짐이 중요하다.

아인슈타인은 "지식보다 중요한 것은 상상력이다."라고 말했다. 미래 더욱 중요한 게 상상력과 창의력이다. 창의력은 매우 중요하다. 인공지능 코딩 정보화 능력을 배우고 익혀야 하는 시대이다. 미래는 세상을 상상하며 다르게 보고 생각하는 창의력이 요구된다. 미래는 새로운 것을 창조하는 창조자를 필요로 한다. 세상이 변하고 있다. 미래는 세상을 상상하며 다르게 보고 생각하는 창의력이 중요하다.

"한 아이를 키우려면 온 마을이 필요하다."라는 잘 알려진 아프리카 속담이다. 우리 사회가 학교와 지역에 관심과 사랑이 필요하다는 말이다. 요즘 인근 마을과 연계한 학교 교육을 시도하는 것은 매우 중요하다.

교사는 학생을 가르치며 배우고 성장하는 것이다. 가르친다는 건 배우는 것이며, 배움에는 사랑과 열정이 있어야 한다.

4장 학교 교육의 미래에 대하여

교육기본법 제9조(학교 교육) 목표이다

교육기본법의 학교 교육 목표이다. 교육기본법 제9조(학교 교육) ②항에는 "학교는 공공성을 가지며, 학생의 교육 외에 학술 및 문화적 전통의 유지·발전과 주민의 평생교육을 위하여 노력하여야 한다."이다.

교육기본법 제9조(학교 교육)

제9조(학교 교육) ① 유아교육·초등교육·중등교육 및 고등교육을 하기 위하여 학교를 둔다.
② 학교는 공공성을 가지며, 학생의 교육 외에 학술 및 문화적 전통의 유지·발전과 주민의 평생교육을 위하여 노력하여야 한다.
③ 학교 교육은 학생의 창의력 계발 및 인성(人性) 함양을 포함한 전인적(全人的) 교육을 중시하여 이루어져야 한다.
④ 학교의 종류와 학교의 설립·경영 등 학교 교육에 관한 기본적인 사항은 따로 법률로 정한다.

학교에서는 교육기본법을 준수해야 한다.

학생은 무엇을 배워야 하나?

학교 현실은 어떠한가?

학생과 학부모는 학교 교육의 목적을 알까?

국가는 교육기본법에 이를 기록하고 있다. 다만 지켜야 하는데 지켜지지 않는 게 본질이다. 법만 있고 지키지 않는다면 존재 이유가 없다. 국가는 의무교육 기관이고 학교에서 가르치게 하면서 제대로 가르치도록 환경을 만들어야 한다. 이를 이행하지 않거나 부족하니 사교육기관이 번창하는 것이다.

학교에서 반드시 가르쳐야 할 게 무엇인가?

국가가 학교의 의무를 제대로 해야 소홀함이 없이 국가 공교육 기관의 신뢰가 높아지는 게 아니겠는가? 알면서 안 지키는 것인가 모르면서 안 하는 것인가? 요즘 국내 상황이 교육이 백년지대계인지 궁금하다.

교육의 본질은 학생들의 재능을 발굴하여 세상에 이바지하도록 하는 것이다. 교육은 개개인의 재능을 끌 끌어내는 게 교육이다. 재능을 끄집어내려면 관찰해야 하고 관계 맺으며 살펴봐야 한다. 학생 수가 적으면 적을수록 크게 이바지할 것이다. 시험성적 높이려는 게 아니라 호기심과 공부의 재미를 알게 하는 기쁨을 주는 것이다. 평생 공부의 근본이다.

학교가 반드시 해야 할 일과 하지 말아야 할 일을 확실하게 해야 한다. 학교가 보육 기관이면 보육에 대한 인력과 예산을 지원해야 한다. 학교가 교육기관이라면 수업이 제대로 잘 이루어지게 환경을 보장해야 한다.

공부의 목적은 무엇인가?

홍익인간의 삶은 무엇인가?

교사는 연구하고 가르치는 게 업무이다. 행정업무에 치이면 공교육 기관이 사교육에 뒤처지고 사교육비가 증가하게 된다. 미래 대한민국 미래가 걱정이다. 그럴 뿐만 아니라 현재의 수능 제도의 문제를 해결하지 않은 채 학교 교실에서 수업을 바꾼다고 해결되는가? 학생들의 학교 공부가 수능시험이 된 게 교사 잘못인가? 수업 방법이 문제가 아니라 수업 제도에 문제가 있는데 이를 고치지 않으면서 수업 방법만 고치라면 말이 되는가?

공부는 미래를 위한 준비다. 항상 크게 꿈을 꾸어야 하지만 그 꿈을 이루기 위한 시작점은 언제나 작게 시작된다.

"천 리 길도 한 걸음부터"이다. 학교에서는 학생 스스로 집중하는 자세, 배우려는 적극적인 참여 태도가 중요하다. 다양한 경험이 배움이다. 학교에서 자신의 잠재 능력과 창의력을 배우는 놀이터이다. 학창 시절의 배움이 미래의 지식 재산이다. 학교에서 자신의 꿈과 끼를 찾아 노력하고 배우면 기쁨과 즐거움이 온다. 미래 나의 전문성이 된다. 이제는 이 사실을 알고, 창의성과 인성을 함양하는 인재가 되길 기대한다.

도서 《새내기 교사론, 정일화》 저자는 "미래를 살아갈 학생을 가르치는 교사는 세상의 변화에 민감해야 합니다. 교사는 늘 새로운 배움을 추구해야 합니다."라고 제시했다.

미래는 예측하기도 쉽지 않다. 최근 인공지능과 자동화 기술이 발달하고 있다. 세상이 변하니 나도 변해야 한다. 변화에 두려워 말고 앞장서는 게 미래를 이끌 교육의 선구자이다.

세상이 변하면 학교도 변하고, 학교가 변하면 교사도 변하고, 교사가 변하면 수업도 변한다. 더 좋은 교육은 수업 제일인 학교이어야 한다. 지금보다 더 나은 세상을 위해, 더 좋은 삶을 위해 변하길 기대한다.

루스벨트 대통령은 "배움을 멈추는 순간 가르치는 사람으로서 가치도 끝난다. 자신이 배울 수 없을 때 다른 사람들도 그에게 더 이상 배울 수 없다."라며 가르치기 위해서는 끊임없이 배워야 한다고 했다. 평생 교육 시대이고 100세 시대이다. 디지털 인공지능 시대이다. 세상이 변하고 있다. 국가도 교육 제도를 바꿔야 한다.

학생과 교사는 우리나라 미래의 주역이고 희망이다. 미래는 홍익인간 이념으로 인간다운 삶을 영위할 수 있도록 필요한 능력을 길러주어야 한다.

4장 학교 교육의 미래에 대하여

학교 교육은 학생의 창의력 계발 및 인성(人性) 함양을 포함한 전인적(全人的) 교육을 중시하여 이루어져야 한다. 학교는 행정업무를 하는 게 아니라 학생을 가르치는 곳이다. 교사가 가르치는 일에 전념할 수 있도록 좋은 제도가 필요하다. 학교는 수업이 가장 중요하고 수업이 살아야 학교가 행복하다. 수업이 제일인 미래 학교를 바란다.

더 나은 학교, 더 나은 사회, 더 나은 세상을 위하는 일이 교육이다. 제대로 된 교육은 세상을 행복하게 바꾸는 일이다.

미래 교육은 홍익인간 이념으로 인간다운 삶을 영위할 수 있도록 필요한 능력을 길러주어야 한다.

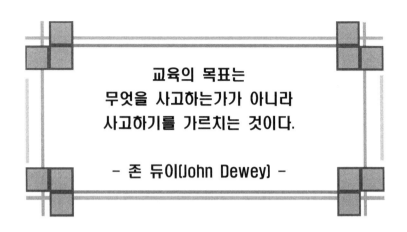

교육의 목표는
무엇을 사고하는가가 아니라
사고하기를 가르치는 것이다.

- 존 듀이(John Dewey) -

교사는 배우며 가르치는 학생이다

교사는 함께 배우고 성장하는 수업 나눔 문화가 중요하다. 교사의 경험을 나누는 전문적 학습활동을 통해 전문성은 더욱 신장할 것이다. 교사의 자발적인 수업 나눔을 바라며 이 글을 작성했다. 교사의 역할과 수업 방향에 정석도 아니며, 정답이 될 수는 없다. 다만 수업 나눔을 함께하면 집단 지성이 된다는 사실이다.

교사의 일상은 수업의 연속이다. 하루, 일주일, 한 달, 일 년, 수십 년 교직 생애 기간 반복한다. 교사는 이 일을 평생하는 일신우일신(日新又日新)의 삶이다. 수업에서 행복하길 바르는 마음뿐이다.

미래 교육의 패러다임은 어떻게 바뀔지 모른다. 학교는 수업하는 곳이다. 수업 우선하는 학교를 바란다. 수업은 미래를 위한 일이다. 교사는 확실하게 가르쳐야 하고, 학생은 제대로 배워야 한다. 공교육은 더욱더 책무성이 강조되고 있다.

교육에 바라는 희망

대한민국의 선생님의 노고가 대한민국의 미래이고 희망이다. 특히 교사들은 학교에서 나날이 힘들어한다. 이유를 파악해서 제도적으로 보완해야 한다. 교사를 보호해야 교육이 바로 선다. 이제 시작이다.

베이컨은 "경험은 인생의 스승이다."라고 말한다. 배우며 가르치는 위대한 존재가 교사이기 때문이다. 교사들의 열정과 학생에 대한 사랑이 식지 않도록 존중하고 살펴봐야 한다.

"왜?"

의사는 전문성을 갖추고자 철저하게 배우고 훈련한다. 교사도 전문성 과정을 인정하고 존중해 줘야 한다. 학생과 교사가 존재해야 교육부가 존재하지, 교육부가 존재하여 학생과 교사가 존재하는 게 아니다. 교육부는 학생을 가르치는 교사·교수를 존중해야 한다. 학교는 사람답게 학생을 가르치는 곳이다. 학교는 모든 학생이 학습의 과정에서 즐거움과 행복을 경험하게 하는 곳이다. 교사는 배워 가르치는 위대한 존재이다.

학교가 존재하는 이유는?

교사가 존재하는 이유는?

공교육의 공정과 상식

교사는 학생을 가르치는 게 사명이다. 수업을 통해 학생을 교육한다. 가르치는 경험을 해봐야 학생을 파악한다는 사실이다. 어제와 오늘의 교육 환경은 나날이 다르다.

교사에겐 수업 사례가 있고, 법률가에겐 판례가 있다. 교사에겐 판례집이나 교육적인 처방 사례가 각자도생이다. 학생을 가르치는 수업 방법, 상담, 생활지도, 학생들의 교우관계 등 사례집이 없다. 수십 년 교육 경험이 축적된 사항이 없다. 축적하지도 않는다. 이유는 상황이 모두 다르기 때문이다. 그렇지만 왜 법률가의 판례처럼 판례집을 만들어 놓지 않았을까 궁금하다. 교육이 백년지대계라지만 말로만 외치기 때문이다.

신규교사에게 고경력 교사인 경험을 제공해 주어야 한다. 세대 간 문화의 차이나 가치관의 차이가 있을 수 있다. 그래도 의사의 수술처럼 보여주고 협동하고 화합하는 기회는 필요하다. 수업기술의 전수가 하루 이틀에 이루어질 수 없다. 수석교사는 신규교사나 저경력 교사에게 교육 경험을 제공하는 멘토이고 조력자가 되는 일이다.

공교육의 책무는 모든 학교에 공정하고 공평하게 교육해야 한다. 수석교사가 배치된 학교에 근무하는 교장, 교감, 교사도 있고 그러하지 않은 학교도 있다. 불공정하고 불공평한 공교육이 학교 현장에 수두룩하다.

교육부에서는 수석교사 선발을 반드시 해야 한다. 교육부는 교육청에 수석교사 예산을 별도로 지원하고 정원외 선발을 해야 한다. 최근 수석교사 선발이 각 교육청의 자율이기 때문에 일부 시·도는 선발하지 않는다. 지역별 편차 없이 수석교사가 선발될 수 있도록 수석교사에 대한 예산은 정부에서 지원해야 한다.

1교 1수석교사 배치로 저 경력 교사는 수업 멘토링과 경험을 배우고 고경력 교사에게는 변화하는 환경에 적극적인 경험이 될 것이다. 수업 경험과 학생 교육, 다양한 학교 경험을 공유하는 정보의 중요성에 관심을 가져야 한다. 오늘날 교사는 수석교사에 대한 인식 전환이 필요하다.

교육부에서는 정원외 수석교사 선발하여 수석교사 활동을 적극적으로 지원해야 한다. 수석교사제도는 교사의 교수·연구 활동을 지원하므로 공교육 신뢰 회복을 위해 선발 확대를 촉구한다.

무명 교사 예찬론

헨리 반 다이크

나는 무명 교사를 예찬하는 노래를 부르노라.

전투에 이기는 것은 위대한 장군이로되

전쟁에 승리를 가져오는 것은 무명의 병사로다.

새로운 교육 제도를 만드는 것은 이름 높은 교육가로되

젊은이를 올바르게 이끄는 것은 무명의 교사로다.

그가 사는 곳은 어두운 그늘 환란을 당하되 달게 받도다.

그를 위하여 부는 나팔 없고

그를 태우고자 기다리는 황금의 마차는 없으며

그의 가슴을 장식할 금빛 찬란한 훈장도 없도다.

묵묵히 어둠의 전선을 지키는 그.

무지와 우매의 참호를 향하여 돌진하는 어머니.

날마다 날마다 쉴 줄 모르고

청년의 원수인 악의 세력을 정복하고자 싸우며

잠자고 있는 정기를 일깨우도다.

게으른 자에게 생기를 불어넣어 주고

하고자 하는 자를 고무하며

방황하는 자에게 안정을 주도다.

학문의 즐거움을 가르치며
지극히도 값있는 정신적 보물을
젊은이들과 더불어 나누어 가지도다.

그가 켜는 수많은 촛불.
그 빛은 후일에 되돌아와 그를 기쁘게 하나니
이것이야말로 그가 받는 보상이로다.

지식은 책에서 배울 수 있으되
지식을 사랑하는 마음은 오직 서로의 접촉에 의해서만
얻을 수 있는 것이로다.

나라 안을 두루 살피되
무명의 용사보다
더 찬사를 받아 마땅할 사람이 어디 있으랴.
민주사회의 귀족적 반열에 오를 자,
그 밖에 누구일 것인고,
자신의 임금이오, 인류의 종복인저!

— 무명교사 예찬사 / Herry Van Dyke (오천석 옮김) —28)

_____

28) [출처] 헨리 반 다이크의 무명교사 예찬론
　　https://blog.naver.com/pljh01/40041414899

살다 보니

학교에서 근무하다 보니
많이 배운 교사보다
겸손한 마음으로 헤아리는 교사가
훨씬 좋더라

교실에서 수업하다 보니
실력이 다가 아니고
학력이 다가 아닌
친절하게 행동하는 예절 바른 학생이
제일 좋더라

학교에서 살아 온 동안
사람 귀한 줄 알고
사심 없이 긍정적인 태도로
따뜻하게 행동하는 베푸는 교사가
최고로 좋더라

선생님이 자랑스럽습니다

이 책에서는 교사의 수업이 더 행복해지도록 역지사지하는 방법을 담았다. 이 글에서 제언하는 한계와 제한점이 많다.

첫째, 학교 수업 이대로 좋은가?

오늘날 학교 수업의 현황과 과제 내용을 실었다. 교사는 무엇을 가르치는가? 학교는 무엇을 교육하는가? 내 수업 철학은 무엇인가? 교사는 수업에서 행복 찾는 일이다.

행복해지는 교사들의 7가지 수업』 T자로 시작하는 영어단어 7가지를 선정하였다. 수업 시간에 실천하면서 행복해지는 교사가 되길 기대한다.

첫째, Think, 생각하는 수업

둘째, Talk, 대화를 주고받는 수업

셋째, Together, 함께 참여하는 수업

넷째, Train, 학습 중 연습과 훈련하는 수업

다섯째, Technology, 에듀테크 활용 수업

여섯째, Test, 과정 및 형성평가를 시행하는 수업

일곱째, Thank You, 늘 감사하는 수업이다.

둘째, 수업 나눔 이대로 좋은가?

수업 나눔의 구체적인 지원에 관한 내용이다. 이 책에서는 교사에게 전하는 수업 활동의 이야기다. 수업 컨설팅은 수업을 참관하고 수업 내용을 공유하는 방법이다.

"수업 컨설팅은 왜 하지? 공개수업은 정기 건강검진이다. 수업 나눔이 티칭이고 코칭이다. 교육실습생은 미래 교사이다. 저 경력 교사 경험은 인생의 스승이 필요하다. 중견 교사의 수업은 색다름이다. 고경력 교사의 수업은 기다림이다. 교사에게 연수는 비타민이다. 전문적 학습공동체는 집단 지성이다."를 자세하게 설명한다.

셋째, 수석교사 제도 이대로 좋은가?

수석교사 법제화는 미완성이다. 수석교사의 탄생 배경과 수석교사 제도의 의미와 내용에 대한 나열이다.

교육공무원법의 수석교사. 수석교사 위상은 어디로? 수석교사는 무엇 하는 교사인가? 수업에서 행복을 찾는 수석교사의 역할을 제시한다. 수석교사 선발하지 않는 이유? 수석교사 미래 방향은…?

평생학습 시대의 수석교사 역할과 비전. 수업 컨설팅의 방향을 살펴본다.

넷째, 학교 교육 이대로 좋은가?

미래를 위한 학교의 변화와 방향에 대해 언급한다. 교사는 미래의 희망이고, 학생을 가르치는 숭고한 일을 한다. 세상을 위한 홍익인간을 지속적이고 창의적으로 실천하려는 교사의 마음을 담았다.

Chat GPT와 인공지능(AI) 에듀테크가 미래 수업의 다는 아니다. 학교에서 행복 찾는 삶이다. 행정업무 경감과 교사 존중과 인정으로 자존감을 세워주는 일이 으뜸이다.

학교 교육은 교과 지식과 인간관계의 균형을 강조하는 함께하는 질서가 있는 공간이다. 학교는 평생 학습하는 역량을 함양하는 장이며, 미래 교육은 평생 학습해야 함을 제시한다.

교사에게 필요한 전문성과 역량이 무엇일까?

어떻게 하면 교사의 수업과 학생 상담 역량을 높일 수 있을까? 교과 내용 지식은 교사가 반드시 갖추어야 할 수업 전문성이다. 하지만 학교 교실은 미성숙한 학생들의 생활공간이다. 가르칠 내용을 잘 알고 있는 것과 학생이 잘 배울 수 있도록 잘 가르치는 역량은 다르다.

교사는 가르치며 배우는 학습자이고, 학생은 배우고 익히는 학습자이다. 교사와 학생은 교학상장(敎學相長)이다.

선생님이 자랑스럽습니다.

학생을 가르치는 선생님께 좋은 수업에 조금이나마 도움이 되기를 소망합니다. 열정과 사랑, 성실한 삶, 노력하는 자세는 과거나 현재나 미래에도 교사가 갖추어야 할 사명이다. 모두가 수업 역량이 함양되어, 교사 전문성이 높아지고, 좋은 수업으로 행복한 학교생활 하시기 기대합니다.

즐겁고 행복한 학교에서 학생을 가르치는 선생님께 이 책을 드립니다.

선생님이 자랑스럽습니다.
대한민국의 미래 인재 양성하는 선생님의 노고가
대한민국의 미래이고, 희망입니다.

2024년 5월 감사의 마음을 전합니다.
강신진

[참고 문헌 및 사이트]

《수석교사 제도》, 강신진, 부크크, 2023.
《내 마음의 시(詩)》,강신진, Bookk, 2022.
《세상에 이런 법이》,강신진, Bookk,2022.
《수석교사 수업 톡(talk)》, 강신진유덕철장양기, Bookk, 2023.
《수석교사 백서》,한국중등수석교사회, 다사랑,2021.
《공부는 망치다》,유영만, 나무생각,2016.
《교사, 수업에서 나를 만나다》,김태현, 좋은교사,2012.
《백년을 살아보니》, 김형석, Denstory,2020.
《조벽교수의 희망특강》,조벽, 해냄,2011.
《최고의 교수법》,박남기, 쌤엔파커스,2017.
《옛날 공부책》,신창호, 어마마마,2017.
《부의미래》, 앨빈토플러, 청림출판,2006.
《수업을 왜 하지?》,서근원, 우리교육, 2013.
《새내기 교사론》,정일화, 한국학술정보, 2020.
《나와라 교육대통령》,김진우, 좋은교사, 2012.
《체계적 수업분석을 통한 수업컨설팅》, 이상수 외, 학지사. 2019
《1만 시간의 법칙》, 이상훈, 위즈덤하우스, 2010.
《인성이 실력이다》, 조벽, 해냄, 2016
《무지개 원리》, 차동엽, 위즈엔비즈, 2007
《쉽게가르치는기술》, 야스코치테츠야 최대현, 두리미디어, 2008.
《수업은 왜하지》, 서근원, 우리교육, 2012.
《수업분석의 방법과 실제》, 천호성,학지사,2013.
《최고의 교수법》, 박남기, 쌤엔파커스, 2017.
《수업의 달인 50가지 전략》, 김연배, 글로북스,2014.
《럭키》, 김도윤, 북로망스, 2021.
《질문이 있는 교실》, 이홍배 외, 한결하늘, 2016.
《수업을 바꾸다》, 김현섭, 한국협동학습센터, 2013.
《교육과정 수업 평가 기록 일체화》, 이명섭, 교육과실천, 2022.
《철학이 살아있는 수업기술》, 김현섭, 수업디자인연구소, 2017.
《공부는 망치다》, 유영만, 나무생각, 2016.
《복수당하는 부모들》, 전성수, 베다니출판사, 2017.
《수업컨설팅》, 이상수 외, 학지사 2015.
《수업 어떻게 볼까?》, 서근원, 교육과학사 2013.
《교육이 희망이다》, 류태호, 경기대학교풀판문화원, 2019.
《수업컨설팅 좋은수업조건5G》, 한국학교컨설팅연구회 김도기외,학지사,2016.

『2022 신규교사·수석교사 교학상장 컨퍼런스』
https://www.youtube.com/watch?v=4BNtWe7LyOI&t=3776s&ab_channel=%ED%95%9C%EA%B5%AD%EC%88%98%EC%84%9D%EA%B5%90%EC%82%AC%ED%9A%8C
『미래교육을 위한 교사전문성개발 포럼 | 제12회 수석교사의 날 기념』
https://www.youtube.com/watch?v=g0ITgQDeDuM&ab_channel=%ED%95%9C%EA%B5%AD%EC%88%98%EC%84%9D%EA%B5%90%EC%82%AC%ED%9A%8C
교육부 홈페이지 www.moe.go.kr)

국가교육과정정보센터
http://www.ncic.re.kr/nation.dwn.ogf.inventoryList.do#
대한민국 정책 브리핑 - 전자정부 누리집
https://www.korea.kr/news/visualNewsView.do?newsId=148900094
교육부 공식 블로그 https://if-blog.tistory.com/12919
교육과정지원포털 - 2022 개정교육과정 안내
https://curri.gyo6.net/curri/intrcn/inqr.do?year=2022
한국 교육신문 https://www.hangyo.com/news/article.html?no=83823
행복한 교육 -
4차 산업 혁명 시대에 필요한 '6C'를 갖춘 미래 인재
https://happyedu.moe.go.kr/happy/bbs/selectBoardArticleInfo.do?bbsId=BBSMSTR_000000000231&nttId=11042
서울특별시교육청교육연구정보원
https://webzine-serii.re.kr/수업은-평가를-바꾸고-평가는-수업을-바꾼다
아시아교육협회 https://educomasia.org/htht/
지식채널e '시험의 목적' https://jisike.ebs.co.kr/
유튜브 김교장 https://www.youtube.com/@user-pm6hf5io2d
학교생활기록부 종합지원포털 https://star.moe.go.kr/web/main/intro.do
워드 클라우드 https://wordcloud.kr
국가법령정보센터 법규 https://www.law.go.kr/법령/교육기본법)
나무위키 https://namu.wiki/w/교육목표 분류
나무위키 https://namu.wiki/w/챗봇
나무위키 https://namu.wiki/w/자서전
나무위키 웰빙 https://namu.wiki/w/웰빙
나무위키 꼰대 특징 https://namu.wiki/w/꼰대 특징
나무위키 https://namu.wiki/w/수업 컨설팅
나무위키 공부 https://namu.wiki/w/%EA%B3%B5%EB%B6%80
위키백과 https://ko.wikipedia.org/wiki/홍익인간
위키백과 https://ko.wikipedia.org/wiki/정약용
위키백과 https://ko.wikipedia.org/wiki/웰빙
위키백과 https://ko.wikipedia.org/wiki/다중지능이론

책의 일부 그림은 뤼튼(Wrtn)에서 생성한 그림을 사용했습니다.
https://wrtn.ai/

저　자 | 강신진

발　행 | 2024년 5월 15일
펴낸이 | 한건희
펴낸곳 | 주식회사 부크크
출판사등록 | 2014.07.15.(제2014-16호)
주　소 | 서울특별시 금천구 가산디지털1로 119
　　　　　　　　　　SK트윈타워 A동 305호

전　화 | 1670-8316
이메일 | info@bookk.co.kr

ISBN | 979-11-410-8305-2

www.bookk.co.kr
ⓒ **강신진 2024**